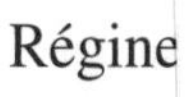

Régine

Le judaïsme

Éditions La Découverte
9 *bis*, rue Abel-Hovelacque
75013 Paris
1996

AVERTISSEMENT

Le terme « juif », d'emploi fréquent dans ce livre, désigne selon le cas l'adepte du judaïsme ou le membre de la communauté. Dans le premier cas, on l'écrit avec un j minuscule, dans le second traditionnellement avec un J majuscule. On a choisi ici, par commodité, de l'écrire dans les deux cas en minuscule.

Catalogage Électre-Bibliographie

AZRIA Régine
Le judaïsme. – Paris : La Découverte, 1996. – (Repères ; 203)
ISBN 2-7071-2617-9

Rameau :	judaïsme (histoire)
Dewey :	296.1 : Judaïsme. Sources (textes). Histoire générale
Public concerné :	Tout public

Si vous désirez être tenu régulièrement informé de nos parutions, il vous suffit d'envoyer vos nom et adresse aux Éditions La Découverte, 9 *bis*, rue Abel-Hovelacque, 75013 Paris. Vous recevrez gratuitement notre bulletin trimestriel **A la Découverte**.

Introduction

Lorsque, au matin du 14 juillet 1989, la France s'apprête à célébrer un des temps forts de son histoire, le Bicentenaire de la Révolution française, la date donnée par le calendrier juif est déjà celle du 11 tammouz 5749 ! S'il fallait trouver un mot pour caractériser le judaïsme, un des premiers qui viendrait à l'esprit serait très certainement celui de longévité. Issu de « la nuit des temps », celle des origines des trois monothéismes, le judaïsme aura traversé l'épaisseur d'un passé vieux de plus de cinq mille ans avant de parvenir jusqu'à nous, alors même que des empires et des civilisations combien plus puissants et prestigieux se faisaient et se défaisaient.

Pour autant, cette persévérance dans la durée n'est pas synonyme d'immobilité. Elle s'impose à coups de changement, d'ajustement, d'invention permanente. Entre le judaïsme des origines et celui que nous côtoyons aujourd'hui, bien des choses ont changé.

Ce livre n'a pas la prétention de proposer une histoire du judaïsme. Néanmoins, il intègre la dimension de l'histoire à partir de quelques « repères » qui entendent signaler les événements marquants de cette histoire autant que les dynamiques plus larges dans lesquelles elle s'inscrit. De la même façon, il fournit des « repères » nécessaires à la compréhension des contenus et les cadres de la « foi » juive.

Mais, plus que la foi, c'est la « tradition » qui est au centre du judaïsme et, au cœur de cette tradition, les *textes*, au premier rang desquels la Torah, le texte révélé, la Loi, à la fois guide et mode d'emploi, et les *prescriptions rituelles*. Là encore, quelques « repères » devraient permettre de se familiariser avec l'univers traditionnel juif, avec ses textes, ses pratiques, ses cadres sociaux, ses courants d'idées.

Surgit alors la question : où finit la tradition juive, où commence l'histoire ? Nous n'apporterons pas de réponse à cette question. En revanche, nous tenterons de montrer comment le judaïsme a trouvé sa voie propre à partir de la synthèse des deux.

De tout temps, les juifs ont entretenu un rapport intime avec leur tradition. Ils n'ont eu de cesse de la scruter, de la fouiller, de l'interroger, de la discuter, voire de la contester, pour elle-même mais aussi pour l'art de vivre qu'elle a imposé à chacune de leurs générations.

Les juifs n'ont eu de cesse d'adapter leur tradition et d'en inventer de nouvelles afin qu'elle réponde et satisfasse en permanence aux nécessités et aux interrogations de l'époque et du lieu. Ce faisant, en lui assignant un rôle dynamique, ils l'ont placée au centre de leur existence. Jusqu'à ce que la modernité juive vienne ébranler et remettre en question l'autorité de cette tradition.

Quelques « repères » sociologiques tentent de montrer que si, dans la modernité juive, la tradition ne constitue plus la source exclusive des normes, des valeurs, des attitudes et des comportements des juifs, elle continue néanmoins à irriguer la vie juive par d'autres canaux et à alimenter, ne serait-ce que symboliquement, les contenus de sens des nouveaux référents identitaires juifs. Plus que sa disparition, ce sont donc les recompositions de la tradition qui se donnent à voir dans les modalités contemporaines du fait juif.

Ces quelques « repères » entendent montrer enfin qu'hier comme aujourd'hui le judaïsme n'a jamais connu le monolithisme ni l'unité que lui prêtent certaines lectures apologétiques. C'est au contraire de la dynamique créée par ses tensions intérieures autant que par sa confrontation permanente avec le monde des gentils (monde des « non-juifs » souvent moins sympathique que l'acception contemporaine du mot ne le laisse entendre) qu'est née cette disposition toute juive au débat, à la discussion, à la controverse, mais aussi à l'autodérision, à l'humour, parfois corrosif, voire à la haine de soi et à la division, source de bien des malheurs juifs.

I
DE LA CIVILISATION HÉBRAÏQUE AU JUDAÏSME

I / La période de la Bible : d'Abraham à l'an 70

Introduction

Pendant longtemps, croyants et incroyants ont lu la Bible sans éprouver le besoin d'en voir les contenus confirmés par la science car le type de « vérité » qu'ils y cherchaient, et qu'ils y trouvaient parfois, ne relevait pas de la vérité scientifique. L'aura sacrée et le caractère miraculeux de certains épisodes des « histoires saintes » ont toujours été le lot, admis et accepté, de tous les commencements.

C'est pourquoi nous avons pris le parti dans ce chapitre de nous attacher moins à présenter le contexte historique du judaïsme ancien qu'à tenter de restituer la portée religieuse de cette période fondatrice.

Aux origines de ce qui deviendra le judaïsme, il y a le message biblique. Il en est le mythe fondateur. La période « historiquement » couverte par la narration biblique s'étend sur une durée à peu près équivalente à celle de l'ère chrétienne, soit un peu moins de deux millénaires.

L'histoire biblique des juifs commence avec Abraham. Par l'élargissement de son champ, la narration nous fait passer ensuite de l'histoire d'un homme à celle d'un clan familial puis à une fédération de tribus nomades qui finissent par se souder en un peuple avant de se constituer en une nation enfin réunie sur un territoire reconquis. Avant le drame final de sa défaite et de sa dispersion, cette nation ne saura éviter les déchirements et les divisions internes.

A cet élargissement démographique et politique correspond une progression religieuse : le récit biblique montre comment, à partir de la quête d'absolu d'un homme, Abraham, qui entend la voix de Dieu et répond à son appel, s'institue, non sans résistances, une religion nouvelle. Née d'une révélation dans le désert, elle se dote peu à peu des attributs nécessaires à toute religion : un texte-source sur lequel reposera l'autorité d'une tradition à naître, un appareil clérical et sacerdotal, un sanctuaire, des rites.

Repères chronologiques

Date	*Période*	*Personnages ou événements*	*Références*
1900-1700	Nomade	Les Patriarches (Abraham, Isaac, Jacob).	Genèse
		Les douze tribus d'Israël.	
1700-1300	Égyptienne	Esclavage des enfants d'Israël (Moïse).	Exode
1300-1200	Désertique	Exode et période d'errance.	Exode
		Le Décalogue, la Torah.	Lévitique Nombres
1200-1030	Cananéenne	Conquête de la « terre promise » de Canaan.	Josué
		Gouvernement des Juges (chefs des tribus d'Israël).	Josué
1030-931	Monarchique		
1030-1010		Le roi Saül (nommé par le prophète Samuel).	Samuel.
1010-970		Le roi David (première ébauche d'administration centrale).	Samuel
970-931		Le roi Salomon (bâtisseur du 1er Temple de Jérusalem).	Rois
931	Schisme du royaume d'Israël en deux royaumes.		Rois
931-722	Le royaume d'Israël (prophète Élie).		Rois
930-587	Le royaume de Juda (prophète Isaïe) : premier Isaïe.		Rois Chroniques
597-539	Domination babylonienne.		
597	Premier exil : Babylone (prophètes Ézékiel, Jérémie).		Ézékiel Esdras Néhémie Jérémie
586	Destruction du premier Temple : deux communautés juives : — une en terre sainte (Judée) ; — l'autre en diaspora (de l'Égypte à l'Asie Mineure).		Jérémie

538-532	Domination perse. — restauration juive (autorisation de regagner la terre sainte pour tous les juifs) et reconstruction du Temple.	Chroniques Esdras Néhémie
332-142	Domination grecque.	Flavius Josèphe
	Les Diadoques.	Flavius Josèphe
	Les Lagides.	Flavius Josèphe
	Les Séleucides.	Flavius Josèphe
167-142	La révolte maccabéenne	Maccabées
142 av. - 135 ap. J.-C.	Domination romaine	Flavius Josèphe littérature inter/ testamentaire
142-37	Les Hasmonéens	Flavius Josèphe
37 av. - 66 ap. J.-C.	La dynastie hérodienne	Maccabées Flavius Josèphe
66-70	La première guerre juive contre Rome	Flavius Josèphe
70	Chute de Jérusalem	Flavius Josèphe
9 av.	Destruction du second Temple	Flavius Josèphe
74	Massada	Flavius Josèphe Manuscrits de la mer Morte
132-135	Deuxième guerre de Bar Kokhba Deuxième exil Début de la période post-exilique	Talmud

Les sources

Les sources sur lesquelles se fonde notre connaissance de cette période sont très anciennes. Aucune pourtant ne remonte à Moïse, le rédacteur inspiré de la Torah. Les tablettes sur lesquelles les premiers récits ont été fixés ont disparu. Aussi les textes dont nous disposons doivent-ils être considérés comme des versions de deuxième, voire de troisième ou de quatrième main d'un original à jamais perdu.

Vénérable par son origine aussi lointaine qu'obscure, la Bible que nous lisons aujourd'hui est le produit de traditions fusionnées appartenant à des époques éloignées les unes des autres, échelonnées sur plusieurs siècles.

Mais la Bible n'est pas la seule source disponible sur cette période. Le premier document historique connu est contemporain de la destruction du second Temple. On le doit à Flavius Josèphe. Ce juif de Jérusalem, descendant d'une famille sacerdotale, devenu général de l'armée insurrectionnelle juive avant d'être le protégé de l'empereur Vespasien, a écrit l'histoire des événements dont il avait été successivement acteur puis témoin. Il est le seul témoin oculaire connu de la fin de l'État juif.

Les archéologues, enfin, ont exhumé des sites, des objets, des documents écrits qui ont enrichi les connaissances de façon décisive et éclairent le récit biblique d'un jour nouveau en en restituant le contexte matériel.

La Bible

La Bible hébraïque (*Torah*) comprend trois parties : le Pentateuque (*'houmach*), les Prophètes (*Neviim*) et les Hagiographes (*Ketouvim*).

1) Comme son nom grec l'indique, le Pentateuque comprend cinq livres : Genèse, Exode, Lévitique, Nombres, Deutéronome, que la tradition attribue à Moïse. Ils s'ouvrent avec le récit de la Création et s'achèvent à la mort de Moïse. Ils nous introduisent aux généalogies des ancêtres puis des descendants d'Abraham ; ils nous content l'histoire des Patriarches, celle de la période égyptienne et de la sortie d'Égypte, les pérégrinations dans le désert, la Révélation.

A cette partie narrative (*haggadah*) s'ajoute une partie législative (*halakkah*), comprenant l'exposé des lois sinaïtiques.

2) Les Prophètes : cet ensemble réunit des livres à caractère narratif et historique. Une première partie comprend les livres de Josué, des Juges, Samuel I et II, les Rois I et II. Ils présentent un récit chronologiquement suivi de la conquête de Canaan et de l'établissement de la royauté, à la chute de Jérusalem et la destruction du premier Temple, en 586 av. J.-C.

La seconde partie se subdivise elle-même en deux sous-ensembles : le premier regroupe les trois grands prophètes classiques : Isaïe, Jérémie et Ézékiel, et le second rassemble les douze « petits prophètes » (petits en raison de la dimension des textes et non de leur qualité prophétique ou littéraire) : Osée, Joël, Amos, Obadia, Jonas, Michée, Nahoum, Habacuc, Sophonie, Aggée (ou hébreu Haggaï), Zacharie, Malachie.

3) Les Hagiographes : cette section comprend le livre des Psaumes, les Proverbes, le livre de Job, le Cantique des Cantiques, Ruth, les Lamentations de Jérémie, l'Ecclésiaste, Esther, Daniel, Ezra, Néhémie, Chroniques I et II.

Le canon de la Bible est fixé au Ier siècle de notre ère. Sa traduction grecque, la *Septante*, est entreprise à Alexandrie aux alentours du IIIe siècle av. J.-C. à l'intention des juifs hellénisés. Quant à la *Vulgate*, sa traduction latine, elle est attribuée à saint Jérôme (v. IVe-Ve siècle).

Ce qu'il faut retenir du récit biblique

Plus qu'une histoire ou un témoignage sur une époque, le récit biblique fournit les « matériaux » à partir desquels le judaïsme s'est ensuite constitué en un système d'action et de pensée. Ces matériaux consistent en quatre idées fortes : le *monothéisme*, le *peuple*, la *terre*, la loi ou *torah*. Voyons ce qu'en dit la Bible.

Le monothéisme biblique et la conception hébraïque de Dieu

Les opinions divergent quant à savoir où et quand l'idée d'un dieu unique, créateur, souverain et abstrait apparaît pour la première fois. Il est à peu près certain qu'avant de devenir monothéistes, les Hébreux (peuple auquel appartient Abraham) commencent par être, à l'instar des autres peuples moyen-orientaux, polythéistes ou hénothéistes (rassemblés autour d'un dieu tribal ou national). Ce qui importe cependant, c'est que l'idée du dieu unique s'impose chez eux et qu'ils s'en font les champions, en réaction précisément contre le polythéisme et l'idolâtrie. Ce monothéisme véhicule une conception du divin qui fera la singularité du judaïsme. En quoi consiste-t-elle ?

Le monothéisme biblique porte en lui l'idée d'un dieu *créateur, unique* et *universel*. A cette idée s'articule celle d'une humanité indivise : au Dieu-Un correspond une humanité-Une, entre lesquels aucune créature intermédiaire, mi-homme mi-dieu, ne s'interpose.

Ce dieu n'est pas soumis aux lois de l'univers qu'il a créé. Il échappe aux limites de l'espace et du temps. Il transcende l'univers et la création. Cette transcendance cependant ne le renvoie pas à un ailleurs inaccessible. C'est là le paradoxe du dieu biblique. Car ce dieu tout-puissant est aussi le dieu personnel et immanent qui s'adresse à l'homme et qui intervient dans l'histoire.

Le monothéisme biblique est *éthique*. A la conception biblique de Dieu et de l'homme est associée l'idée de loi. Dieu a créé un ordre naturel qui régit l'ensemble de Sa création, sauf l'homme. L'homme n'est pas une simple créature entre les mains de son Créateur. Dès le chapitre trois de la Genèse, on voit le premier homme commencer sa carrière terrestre par un acte d'insoumission (l'épisode du fruit défendu). En le créant, Dieu ne donne donc pas seulement la vie à l'homme, il lui donne aussi la liberté de choisir entre le Bien et le Mal. Et avec la liberté, il y a la Loi.

Autre caractéristique enfin, le Dieu biblique est *non représentable*. Son nom est *ineffable* et *indicible* (sauf par le grand prêtre qui le prononce une fois par an à Yom Kippour). Cet interdit signifie que Dieu appartient à un registre qui se situe au-delà de l'homme, de ses cadres de pensée et d'expression. Toute représentation de Dieu, par l'image ou le discours, ne peut que traduire dans les catégories nécessairement limitées de l'entendement humain une réalité qui lui est extérieure, impossible à appréhender, voire impossible à concevoir. Le vocabulaire anthropomorphique de la Bible qui prête à Dieu des attributs humains — force, puissance, justice, amour, miséricorde, jalousie, colère — ne se justifie que parce qu'il permet d'approcher, par contournements et analogies, un domaine interdit, impénétrable et inaccessible. Paradoxe, la Bible ne prête-t-elle pas à Dieu lui-même cette phrase : « Faisons l'homme à notre image, à notre ressemblance... » (Genèse 1, 26) ?

En hommes et femmes de leur temps, les Hébreux éprouvèrent quelques difficultés à assimiler cette conception abstraite et souveraine de Dieu. A maintes occasions, ils retournèrent aux dieux étrangers et la Bible n'est qu'une longue relation de ce combat incessant duquel le monothéisme biblique ne sortait pas toujours vainqueur, loin s'en faut.

Le peuple : élection et Alliance

Certains commentateurs suggèrent que Dieu ne pouvait réaliser son projet qu'avec la collaboration de l'homme. Force est de constater pourtant que cette association ne s'est pas concrétisée dans une harmonie parfaite. Dès les premiers chapitres de la Bible, les relations entre Dieu et les hommes sont tout sauf faciles. Leurs premières expériences communes se soldent par des échecs répétés : Ève et Adam sont chassés du paradis (Genèse 3), puis viennent les épisodes du Déluge (Genèse 6, 7) et de la tour de Babel (Genèse 11, 1-9). Face à ces échecs, le dieu Tout-Puissant confie la réalisation de son projet non plus à l'ensemble de l'humanité mais à un peuple choisi spécialement pour être Son ambassadeur auprès des nations. Tels sont la mission d'Israël et le sens biblique de l'élection.

Contrairement aux contresens accumulés autour d'elle, l'élection doit être comprise non comme un privilège, mais comme un ensemble de devoirs et de responsabilités. C'est pour cette raison que, selon la tradition orale, les autres peuples sollicités par Dieu avant Israël auraient décliné l'offre et refusé l'élection, parce que trop lourde à assumer. C'est sans doute pour cette raison que les enfants d'Israël eux-mêmes faillirent et trahirent le contrat à plusieurs reprises.

De fait, l'élection est un horizon à atteindre. Il faut en permanence la mériter et s'en montrer digne. Elle est indissociable de l'Alliance.

Plusieurs Alliances sont rapportées dans la Bible. La première est conclue avec Abraham en Genèse 15 : Dieu lui promet une descendance aussi nombreuse que les étoiles et lui donne un territoire en possession perpétuelle. Cette alliance est réitérée deux chapitres plus loin de façon plus affirmée encore puisqu'elle fait d'Abraham le père d'une multitude de nations cette fois, en contrepartie de la circoncision. Mais c'est l'Alliance du Sinaï conclue entre Dieu et le peuple rassemblé, rapportée en Exode 19, 24, qui donne à l'événement sa portée maximale. Cette fois, en effet, le contrat ne se négocie plus lors d'un tête-à-tête, mais dans une théophanie ou apparition terrifiante, une *Révélation*, qui se produit en présence du peuple tout entier. Cette troisième Alliance confirme et précise les précédentes puisque les deux clauses du contrat y figurent : la promesse et les conditions de la réalisation de la promesse.

La promesse faite par Dieu aux enfants d'Israël d'être « un royaume de prêtres et une nation sainte » (Exode 19, 6) est assortie d'une condition : « Si vous êtes dociles à ma voix, si vous gardez mon Alliance, vous serez mon trésor entre tous les peuples » (Exode 19, 5). Autrement dit, la sainteté, c'est-à-dire la consécration d'Israël, n'est accessible que par le respect de l'éthique et par l'observance des prescriptions particulières. En effet, la Bible distingue l'« ensemble des nations », lesquelles doivent suivre la morale universelle issue du Décalogue, tandis qu'Israël doit appliquer la loi particulière telle qu'exprimée dans les termes de la Torah. C'est lors de cette Alliance solennelle, scellée publiquement, que sont donnés les dix commandements, de portée universelle, et la législation d'Israël (Torah).

A vrai dire, l'Alliance conclue au Sinaï et l'élection d'Israël vouent le peuple juif à un destin exceptionnel. Mais la nature de ce destin n'a pas été perçue par tous de manière identique : destin national pour les uns, qui privilégie le particularisme et la mise à l'écart d'Israël, faisant de lui un peuple à part, n'écoutant que ses lois et ne partageant son trésor, la Torah, avec nul autre. Destin universel pour d'autres, qui assigne à Israël une responsabilité particulière à l'égard de l'humanité et l'implique à part entière dans le destin du monde.

De fait, les deux interprétations sont également acceptables et nullement incompatibles, l'accès à l'universel s'ancrant nécessairement dans le particulier. Pour accomplir sa mission spirituelle et éthique dans l'histoire, Israël a besoin de se reconnaître et de se compter. D'où la nécessité et la finalité propres du *peuple*. C'est à ce prix, et seulement à ce prix, qu'Israël peut espérer surmonter les vicissitudes de l'histoire et préserver le sens de sa mission. Mais il n'est pas certain qu'au fil de l'histoire l'enjeu de ce destin ait été bien saisi par tous, juifs ou non-juifs.

La terre : projet utopique et promesse de réalisation

Les thèmes de la terre, du sol, du territoire sont partout présents dans la Bible, du récit de la Création et de l'histoire d'Abraham, dont l'aventure s'inaugure par l'injonction divine : « Va hors de ton pays, de ton lieu natal et de la maison paternelle, vers le pays que je t'indiquerai. Je te ferai devenir une grande nation ; je te bénirai, je rendrai ton nom glorieux et tu seras bénédiction » (Genèse 12, 1-2), jusqu'à l'exil où les juifs sont chassés de *leur* territoire, dispersés aux quatre coins de *la* terre. Ces thèmes sont proprement constitutifs de la tradition juive et ils continueront à occuper une place centrale, quoique paradoxale, tout au long de l'histoire juive, ne serait-ce qu'avec le sionisme et la création de l'État d'Israël.

Le thème de la terre a une fonction mobilisatrice qui s'exprime sur le mode de l'utopie. Celle-ci est au cœur du mythe fondateur et du projet eschatologique juifs. Elle en constitue le ferment, l'élément effervescent. Présente dès le pacte d'Alliance, c'est elle qui permettra véritablement au mythe de se déployer dans l'histoire.

Il est intéressant de noter que les grandes ruptures qui ponctuent l'histoire juive sont toutes liées à des remaniements du rapport au sol et à l'espace. Abraham doit quitter son pays d'origine pour fonder sa propre nation sur la terre que Dieu lui destine ; plus tard, sous la conduite de Moïse, les Hébreux ne se soudent en un peuple que parce qu'ils ont une mission à accomplir, regagner cette terre promise et s'y établir ; plus tard encore, l'histoire juive bascule une première fois avec la destruction du premier Temple qui impose un premier exil, puis de façon plus durable avec la destruction du second Temple et la dispersion qui, pendant près de deux mille ans, mettront fin à l'exercice de la souveraineté juive sur *sa* terre.

Chaque étape importante de l'histoire biblique s'inscrit en rupture par rapport aux liens territoriaux antérieurs. Abraham quitte une terre impure souillée par l'idolâtrie. L'émergence de sa figure légendaire de premier monothéiste se paie au prix du déracinement et de la rupture des attaches antérieures, dont la plus forte, celle du sol natal. Mais la gratification qui l'attend n'est pas négligeable puisque c'est une autre terre qui lui est promise, à lui et à sa descendance.

Cette épreuve vécue individuellement se répète au niveau collectif avec l'Exode. Nécessité, pour tous les Hébreux cette fois, de rompre avec une terre d'esclavage et d'abomination, l'Égypte, pour gagner la terre promise. Les deux fois, une période d'indétermination territoriale accompagne la période de maturation religieuse et nationale : une interminable suite de pérégrinations et de mises à l'épreuve pour les patriarches, Abraham, Isaac et Jacob ; quarante années d'errance dans le désert, soit le temps nécessaire à la montée d'une génération d'hommes libres, dignes de fouler le sol de la terre promise, pour les Hébreux.

Pour la tradition issue de la Bible, la terre est conçue comme un enjeu existentiel et symbolique. A travers le lien spirituel périodiquement renoué entre la « terre promise » et le « peuple élu » se trouvent réunis les éléments nécessaires au déroulement d'une « histoire sainte » et à l'émergence d'une conception particulière du sacré. Par un rigoureux travail d'élaboration, la Bible s'efforce d'instaurer la rupture avec un monde païen qui sacralise la nature et attache l'homme à la terre par un lien fusionnel très fort. La tradition rabbinique ultérieure s'en démarquera plus radicalement encore en affirmant la nécessité pour l'homme de s'émanciper de

Le Temple

Le roi Salomon fait ériger le Temple de Jérusalem sur le mont Moriah, là où Abraham s'apprêtait à sacrifier son fils Isaac. Il forme un vaste complexe architectural dont la Bible donne une description détaillée. L'Arche d'Alliance qui contient les Tables de la Loi, se trouve dans le Saint des Saints. Le grand prêtre est le seul à y avoir accès une fois par an à l'occasion de Yom Kippour.

Malgré l'existence de sanctuaires concurrents (notamment celui de Samarie), le Temple de Jérusalem reste le centre de la vie religieuse et du culte. Trois fois par an, à Pâques (*pessa'h*), à la Pentecôte (*chavouot*) et à l'occasion de la fête des Cabanes (*Souccot*), les pèlerins convergent vers lui pour y porter leurs offrandes lors des pèlerinages liés au cycle des récoltes. Le reste du temps, les prêtres offrent des sacrifices quotidiens, hebdomadaires et mensuels et à l'occasion des fêtes. Autrement dit, le Temple fonctionne en permanence et les activités annexes qu'il suscite constituent des sources de revenus importantes pour les habitants de la ville.

Détruit par Nabuchodonosor en 586 av. J.-C., le Temple est reconsacré en 515 av. J.-C. après que Cyrus a signé un décret autorisant le retour des juifs en Judée. Mais ce second Temple est loin d'égaler en splendeur celui qu'il remplace.

L'hellénisation des juifs et l'introduction de cultes païens à l'époque séleucide sont à l'origine de la révolte des Hasmonéens (famille de prêtres juifs). Cette révolte a un caractère national autant que religieux, car le Temple et son culte constituent des pièces maîtresses de l'identité nationale. Aussi, lorsqu'en 164 av. J.-C. Judah Maccabée le débarrasse des idoles, le purifie et le reconsacre au culte juif, cet événement reste une date importante de l'histoire juive commémorée à 'Hanouccah (la fête des lumières).

Avec la fin de la lignée sadocite, le pontificat est assuré par la dynastie hasmonéenne, jusqu'à l'accession au trône d'Hérode le Grand, qui entreprend d'importants travaux d'agrandissement et d'embellissement du Temple. S'émerveillant devant l'or qui recouvre les façades du Temple d'Hérode, Flavius Josèphe écrit : « Celui qui n'a pas vu la maison d'Hérode n'a jamais vu de belles constructions. »

Après la destruction du Temple, la sainteté du lieu demeure intacte pour les juifs. Pour éviter la souillure qu'entraînerait une présence impure, les autorités rabbiniques ont interdit aux juifs l'accès au mont du Temple sur un périmètre assez large. Cet interdit est respecté de nos jours encore par les juifs pratiquants.

Depuis le VIIe siècle, le mont du Temple est devenu la possession des musulmans qui y ont édifié leurs propres lieux saints : la mosquée El-Aqsa et la Coupole du Rocher.

l'emprise de la terre. Pour être acteur de son histoire, l'homme doit d'abord s'arracher de cette terre génitrice, tout comme, parvenu à l'âge adulte, il doit quitter la maison de ses parents.

Le rapport à l'espace et au sol est partie prenante dans la construction de l'identité religieuse et de la conscience éthique du peuple. L'une et l'autre s'élaborent dans la tension maintenue entre deux pôles : le Temple d'un côté, érigé sur le lieu même du non-sacrifice d'Isaac (Genèse 22), et la tribu de Lévi de l'autre, celle où se recrutent les prêtres, seule tribu sans territoire propre (« A la seule tribu de Lévi l'on n'assigna pas de patrimoine : les sacrifices de l'Éternel, Dieu d'Israël, constituèrent son patrimoine... » Josué, 13). Pendant la traversée du désert en effet, alors qu'Israël était retombée dans le paganisme (l'épisode du Veau d'or), seule la tribu de Lévi était restée fidèle à Dieu, d'où son accès au sacerdoce.

Le fait que les prêtres ne disposent en propre d'aucun territoire marque le refus d'une quelconque emprise de la terre sur l'exercice de la fonction sacerdotale. La terre demeure la propriété de Dieu, les hommes n'en sont que des gérants qui doivent rendre des comptes. Pour preuve, les lois liées à la terre : lois de la jachère qui assignent la terre au repos sabbatique (tous les sept ans) ; lois qui dédient au Temple les premiers-nés des troupeaux et les premières récoltes ; lois qui attribuent aux pauvres le coin intentionnellement non moissonné ; loi de la dîme sur la récolte puis, bientôt, sur les revenus reversés aux plus pauvres.

Perçue comme la réalisation d'une promesse divine, donc comme une marque de fidélité, la possession de la terre n'est pas seulement conditionnelle, elle fait aussi l'objet d'un chantage divin. Le non-respect de l'Alliance y trouve sa sanction divine. C'est le sens même de l'exil, tout au moins son interprétation religieuse. Ce thème de l'exil, comme châtiment divin infligé au peuple juif en raison de ses péchés, sera repris par la théologie chrétienne qui y verra la fin de l'élection et de la mission rédemptrice d'Israël.

Fidélité à Dieu, conscience nationale, éthique et religieuse, attachement territorial sont intimement liés dans les représentations juives, telles qu'elles se dégagent du texte biblique et telles qu'elles se dégageront par la suite de ses commentaires rabbiniques.

Lorsque, au Ier siècle de notre ère, les juifs se voient condamnés à l'exil et à la dispersion, le thème de la terre n'est pas moins central, mais il s'exprime alors sur un mode radicalement autre. Déterritorialisé, le judaïsme diasporique spiritualise son rapport à la terre et le réélabore sur un mode mystique et eschatologique en projetant l'espoir de retour, *l'an prochain à Jérusalem*, aux temps messianiques, autrement dit dans un avenir métahistorique.

La Torah : constitution morale et religieuse d'Israël

La Torah, c'est d'abord le Décalogue, les dix commandements. Plus largement, c'est l'ensemble des dispositions religieuses, cultuelles, rituelles, morales qui fondent et régissent les rapports entre le peuple d'Israël et son dieu, entre le peuple d'Israël et sa

Prêtres et lévites

Depuis Moïse, la prêtrise revient à la tribu de Lévi, troisième fils de Jacob, dont la famille se divise entre Cohen (la dynastie des prêtres) et Lévi. Avec l'érection du Temple de Jérusalem, une classe de fonctionnaires est affectée à son service. Ceux qui la composent appartiennent aux anciennes familles issues de cette lignée sacerdotale.

Prêtres et lévites se partagent hiérarchiquement les charges attachées au culte, au fonctionnement et à l'entretien du Temple. Le grand-prêtre, descendant d'Aaron, le frère aîné de Moïse, est le seul à revêtir l'*efod*, la tunique de lin et de laine, le pectoral serti de douze pierres précieuses d'après les noms des douze tribus, la robe de laine bleue et la tiare d'or gravée d'une formule rituelle. Il est le seul autorisé à effectuer les sacrifices sur l'autel intérieur et à pénétrer dans le Saint des Saints une fois l'an, à Yom Kippour, au jour du Grand Pardon.

Les prêtres ordinaires se répartissent selon leur rang et leur fonction et se partagent les tours de garde pour assurer leur service par roulement. Ils ont la charge des sacrifices, prennent soin du chandelier et de l'encens, veillent sur l'enceinte du Temple et exercent des responsabilités d'arbitrage. Les lévites, qui constituent le clergé subalterne, les assistent comme choristes, musiciens, gardiens des portes. Ce sont eux qui enseignent la loi au peuple.

Prêtres et lévites n'ont pas le droit de posséder des terres. Pour subsister, ils dépendent des offrandes prélevées sur les récoltes et peuvent consommer les restes de certains types de sacrifices. Ils perçoivent également une partie de la dîme, l'impôt sur le Temple.

Tenus à un état de pureté rituelle, prêtres et grands-prêtres sont soumis à certains interdits spécifiques : interdiction d'épouser une divorcée, une prostituée ou une païenne convertie au judaïsme (prosélyte) et nécessité d'être marié (pour le grand-prêtre) à une vierge, le mariage apparaissant comme le garant de l'équilibre entre le corps et l'esprit ; interdiction de pénétrer dans un cimetière et, plus généralement, d'avoir un contact direct ou indirect avec un cadavre. Ceux qui sont atteints d'une tare ou d'une infirmité physique ne peuvent exercer aucune charge sacerdotale.

L'appareil clérical et la fonction sacerdotale n'ont pas survécu à la destruction du second Temple : le culte, les sacrifices et la prêtrise ont disparu. Néanmoins, certains symboles leur sont restés attachés, comme le protocole, toujours en vigueur dans les synagogues orthodoxes ou simplement traditionalistes, qui définit l'ordre de « montée à la torah » des fidèles, selon qu'ils sont Cohen (qui vient de l'hébreu *cohanim*, « prêtres »), Lévi ou Israël, c'est-à-dire descendants supposés de l'ancienne hiérarchie sacerdotale ou simples fidèles. Le judaïsme réformé, lui, a supprimé de son rituel les derniers vestiges de cette antique division de la société juive et en a évacué les éléments pouvant suggérer toute perspective de reconstruction d'un nouveau Temple ou de retour à la pratique de sacrifices rituels.

terre, entre l'homme et son prochain dans la vie de tous les jours. Enfin, dans une acception plus large encore, c'est la Bible (l'Ancien Testament).

Selon la tradition juive, la Torah (loi écrite) aurait été donnée à Moïse au Sinaï accompagnée de son commentaire (la loi orale). Que faut-il comprendre par là ? Simplement ceci : la Torah n'aurait pas été donnée à la seule génération du Sinaï. Elle est valable éternellement et son sens est inépuisable. Ses six cent treize commandements (*mitsvot**), transmis oralement par Dieu à Moïse pour qu'il les fasse connaître aux enfants d'Israël, constituent les termes de l'Alliance entre Dieu et son peuple. Ils ont pour but de faire accéder les enfants d'Israël à la sainteté évoquée dans l'Alliance.

Le Décalogue (Ex 20, 1-14)

Et Dieu prononça toutes ces paroles, en disant :

(I) « Je suis l'Éternel, ton Dieu, qui t'ai fait sortir du pays d'Égypte, d'une maison d'esclaves.

(II) Tu n'auras pas d'autres dieux devant moi. Tu ne te feras point d'idoles, ni toute image de ce qui est en haut dans le ciel, ou en bas sur la terre, ou dans les eaux au-dessous de la terre. Tu ne te prosterneras point devant elles, tu ne les adoreras point ; car moi, l'Éternel, ton Dieu, je suis un dieu jaloux, qui poursuis la faute des pères sur les enfants, jusqu'à la troisième et la quatrième génération, pour ceux qui me haïssent ; et qui exerce la bienveillance jusqu'à la millième, pour ceux qui m'aiment et gardent mes commandements.

(III) Tu n'invoqueras point le nom de l'Éternel ton Dieu en vain ; car l'Éternel ne laisse point impuni celui qui invoque son nom en vain.

(IV) Souviens-toi du jour du Sabbat pour le sanctifier. Durant six jours tu travailleras, et tu auras fait tout ton travail ; et le septième jour c'est le Sabbat pour l'Éternel ton Dieu ; tu ne feras aucun travail, toi et ton fils et ta fille, ton esclave mâle ou femelle, ton bétail, et l'étranger qui est dans tes murs. Car en six jours l'Éternel a fait le ciel, la terre, la mer et tout ce qu'ils renferment, et il s'est reposé le septième jour ; c'est pourquoi l'Éternel a béni le jour du Sabbat et l'a sanctifié.

(V) Honore ton père et ta mère, afin que tes jours se prolongent sur la terre que l'Éternel ton Dieu t'accordera.

(VI) Tu ne commettras pas d'homicide.

(VII) Tu ne commettras pas d'adultère.

(VIII) Tu ne voleras pas.

(IX) Ne rends point contre ton prochain un faux témoignage.

(X) Ne convoite pas la maison de ton prochain ; ne convoite pas la femme de ton prochain ; son esclave ni sa servante, son bœuf ni son âne, ni rien de ce qui est à ton prochain. »

En vertu de l'injonction divine : « Soyez saints ! car je suis saint, moi l'Éternel votre Dieu » (Lévitique 19, 2), la sainteté, à l'image de Dieu, est l'idéal auquel l'Hébreu, puis le juif, aspirent. Le chemin à suivre est celui de la Loi et de l'observance de ses commandements. Il n'est pas une circonstance ou un domaine auquel ne s'applique un ou plusieurs d'entre eux : les activités domestiques, sociales et économiques, les lois cultuelles et rituelles, le traitement des étrangers, des prisonniers, des esclaves, etc.

Les prescriptions religieuses (*mitsvot**)

Ces prescriptions se rangent selon diverses classifications : positives et négatives ; celles concernant les obligations de l'homme à l'égard de Dieu et les relations entre l'homme, son prochain et son environnement ; prescriptions à caractère éthique, telles les interdictions portant sur le meurtre et le vol et celles qui n'ont pas, à première vue, de fondement rationnel, comme l'interdiction de manger du porc ; celles qui dépendent de la terre, liées à l'agriculture, et celles qui ont une portée universelle ; celles liées à des moments déterminés, telle la *souccah** et le *loulav** ; celles qui sont obligatoires pour tous (les interdits) et celles dont les femmes sont exemptées (injonctions positives ou liées à des moments déterminés) ; celles qui sont permanentes et celles qui ne sont plus appliquées depuis la destruction du Temple, etc.

* Les termes suivis d'un astérisque renvoient au glossaire, en fin d'ouvrage.

Ce chemin vers la sainteté que tracent les commandements doit aider l'homme à dominer ses instincts, à contrôler ses sens, à se séparer de l'état de nature. Deux principes doivent le guider : le principe de justice, qui relève du droit, et celui de miséricorde, qui relève de ce que les chrétiens nomment charité, l'un ne devant en aucun cas être sacrifié à l'autre.

En vertu de l'injonction « Tu aimeras ton prochain comme toi-même » (Lévitique 19, 18), la Torah se veut code éthique universel donné à l'humanité tout entière par l'intermédiaire d'un peuple séparé du monde mais dans le monde.

La Torah a donné aux juifs la force et la volonté d'exister. Par ses rappels, réitérés dans des symboles comme les *tefilin** ou les *tsitsit**, elle s'évertue à rappeler aux juifs le contrat qu'ils ont passé avec leur dieu :

> « Et ce sera pour toi en signe sur ton bras, et en rappel entre tes yeux afin que la doctrine du Seigneur reste dans ta bouche : c'est d'un bras puissant que l'Éternel t'a fait sortir d'Égypte. Tu observeras cette loi en son temps de jours en jours. » (Exode 19, 9-10.)
>
> « L'Éternel parla à Moïse en ces termes : "Parle aux enfants d'Israël et dis-leur de se faire des franges aux coins de leurs vête-

ments, dans toutes leurs générations, et d'ajouter à la frange de chaque coin un fil d'azur. Cela formera pour vous des franges dont la vue vous rappellera tous les commandements de l'Éternel, afin que vous les exécutiez et ne vous égariez pas à la suite de votre cœur et de vos yeux qui vous entraînent à l'infidélité. Vous vous rappellerez ainsi et vous accomplirez tous mes commandements et vous serez saints pour votre Dieu. Je suis l'Éternel votre Dieu, qui vous ai fait sortir du pays d'Égypte pour devenir votre Dieu, moi, l'Éternel votre Dieu. » (Nombres 15, 37-41.)

Que faut-il retenir du récit biblique ?

Trois éléments s'en dégagent, essentiels pour l'avenir du judaïsme : *1)* l'émergence du monothéisme et la naissance d'une religion nouvelle ; *2)* la formation d'une conscience collective à caractère « national », à travers l'image du peuple ; *3)* l'élaboration d'une éthique, d'un code social et d'un mode de vie qui trouveront leur application dans la vie quotidienne des juifs.

Cette approche du judaïsme ancien par le biais de sa source principale, la Bible, privilégie à dessein les fondements théologiques du judaïsme. Elle laisse provisoirement dans l'ombre les dimensions humaine, sociale et politique. Un tel choix ne se justifie bien évidemment que pour autant qu'il fournit des clés indispensables. Comment, en effet, parler des juifs et du judaïsme, au passé comme au présent, sans tenir compte de cette dimension théologique, à la fois centrale et constitutive de l'identité juive et du sens de l'appartenance au judaïsme ? Tout au long de leur histoire, l'existence des juifs sera très largement déterminée par elle.

Mais tout autant que le religieux, l'histoire contribue elle aussi à façonner le judaïsme. Et c'est bien elle qui introduit la grande rupture lorsque les légions romaines entrent dans Jérusalem.

II / La rupture postbiblique : exil et diaspora

Les faits

L'âge d'or de la royauté et de l'unité ne survit pas au règne du roi Salomon. En fait, dès qu'intervient, en 931 av. J.-C., le schisme entre les royaumes d'Israël et de Judée, le rêve d'une existence paisible n'est plus de mise pour les juifs. Avant même que ne se succèdent occupants babyloniens, perses, grecs et romains, la stabilité politique se révèle précaire et le Temple n'est déjà plus le lieu où convergent à l'occasion des trois grandes convocations religieuses annuelles (Pessa'h, Chavouot et Souccot) tous les enfants d'Israël.

En l'an 70 d'abord, en 74 ensuite, en 135 enfin, des événements sanglants mettent définitivement fin à ce qui reste d'un royaume de Judée miné de l'intérieur par ses guerres intestines, ses conflits idéologiques, politiques, sociaux et religieux.

Partis, factions et sectes juifs

Au tournant de l'ère commune, IIe siècle av.-Ier siècle apr. J.-C., la société juive de Palestine est une société profondément déchirée par ses conflits internes, en particulier par les courants, factions ou partis religieux qui s'affrontent autour d'enjeux qui ne sont pas *que* religieux ou théologiques, mais qui mettent en question le fonctionnement même de l'État-Temple qu'est alors la Judée. Trois courants dominent alors ce paysage politico-religieux particulièrement mouvementé : sadducéens, pharisiens et esséniens.

Les sadducéens appartiennent aux cercles de l'aristocratie juive, laïque et sacerdotale, et sont proches, quand ils n'y participent pas directement, des cercles du pouvoir. Socialement distincts des pharisiens dont le recrutement est plus populaire, ils se démarquent d'eux aussi par leurs conceptions religieuses et théologiques. A la différence des pharisiens qui acceptent l'autorité de la loi écrite et de la loi orale, les sadducéens ne reconnaissent que la loi écrite, dont ils appliquent les commandements de façon rigide et conservatrice. Contrairement aux pharisiens encore, les sadducéens ne croient ni à l'immortalité de l'âme ni à la résurrection des morts ; ils considèrent l'homme comme seul maître de son destin et ne reconnaissent l'existence ni des anges ni des démons. Liés aux milieux sacerdotaux, ils placent le Temple et le culte du Temple au centre de leur conception religieuse et politique. Cet attachement leur sera fatal dans la bataille qu'ils livrent aux pharisiens pour le pouvoir dans la mesure où, lorsque le Temple sera détruit, ils perdront leur principal atout et disparaîtront avec lui.

Les pharisiens se distinguent, entre autres, des sadducéens par leur attachement à la Torah et leur souci de la diffuser et de l'enseigner au peuple. C'est à eux qu'on doit, bien avant la destruction du Temple, la création et le développement des académies talmudiques, à commencer par celle de Yavné qui, à la destruction du Temple, deviendra, sous la conduite de Yo'hanan ben Zakkaï, le nouveau centre spirituel du judaïsme ; c'est de leurs rangs qu'émergent les grands maîtres des écoles de pensée et d'interprétation de la loi, Hillel et Shammaï, ainsi que les générations ultérieures de compilateurs, de codificateurs, de commentateurs de la Torah (*tannaïm**, *amoraïm**, *savoraïm**). Leur connaissance de la loi et leur proximité du peuple les désignent tout naturellement pour être les arbitres en cas de conflits, des conseillers et des guides spirituels. Aussi, alors que la destruction du Temple est fatale aux sadducéens, elle trouve les pharisiens prêts à assurer la continuité spirituelle et religieuse. La pensée et la tradition pharisiennes se perpétueront dans le courant rabbinique, qui sera le courant dominant du judaïsme traditionnel jusqu'à l'aube des temps modernes.

Les esséniens, quant à eux, constituent une secte ou une confrérie juive forte d'environ quatre mille membres. Leurs communautés se composent d'hommes adultes qui, au terme d'une période probatoire de trois ans, s'engagent à observer un mode de vie semi-monastique. Ils règlent leur existence selon les principes de chasteté, de pureté rituelle, de propreté physique, de modération et doivent accepter de se plier à l'autorité d'un ordre hiérarchique. En entrant dans la communauté, les esséniens mettent en commun leurs biens personnels, leurs revenus, leur nourriture et s'engagent dans une voie ascétique, à la recherche de la justice et du bien. Reconnaissables au blanc immaculé de leurs vêtements, ils prennent leurs repas en commun et observent le chabbat avec une grande rigueur. Agriculteurs ou artisans, ils s'adonnent, comme les pharisiens, à la lecture et à l'étude de la loi dont ils proposent leur propre interprétation. Quoique à l'écart du monde et soumis à un règlement intérieur très strict, les esséniens n'en participent pas moins à la vie de la nation. Bien qu'ils dénoncent la corruption qui règne à Jérusalem et qu'ils préfèrent la solitude de lieux retirés pour être plus près de Dieu, ils n'en participent pas moins, par leurs offrandes, à la vie du Temple, tout en refusant la pratique des sacrifices. Certains d'entre eux s'engagent dans la résistance armée à l'occupation romaine. Comme les sadducéens, mais pour des raisons différentes, la destruction du Temple leur est fatale puisqu'ils disparaissent en même temps que lui.

La communauté de Qoumran, dont l'existence nous est connue grâce à la découverte des Manuscrits de la mer Morte, est associée au courant essénien. La plupart des spécialistes considèrent ces derniers, et d'autres courants du même type, nombreux à cette époque charnière, comme une préfiguration des premières sectes chrétiennes ; de même, les principes selon lesquels les esséniens règlent leur vie semble avoir servi de modèle au monachisme chrétien.

Quant aux zélotes et aux sicaires, ils se distinguent par la vigueur de leur opposition et de leur résistance, y compris par la terreur, à l'occupation romaine. S'en remettant exclusivement à l'autorité de la Torah et n'admettant pas que le Temple soit souillé par la présence d'étrangers, ils n'hésitent pas à prendre les armes pour chasser l'occupant et sont à l'origine de la révolte de 66-73. Très critique à leur égard, Flavius Josèphe leur impute la responsabilité de la catastrophe.

Le général romain Titus met le siège devant Jérusalem puis conquiert la ville. A la date fatidique du neuvième jour du mois d'Av de l'an 70, le Temple disparaît dans les flammes après avoir été profané et pillé. La ville est rasée, ses habitants sont pour partie massacrés, dispersés ou emmenés pour le triomphe à Rome. Flavius Josèphe estime le nombre des prisonniers juifs à 97 000 et celui des morts à plus d'un million ! La Judée juive n'existe plus. Elle devient une province romaine contrôlée par la Xe légion.

En 74, le suicide collectif des zélotes et de leurs familles, retranchés sur le plateau désertique de Massada en surplomb de la mer Morte, met fin à un épisode devenu célèbre de la résistance juive à la puissance romaine, avant qu'une dernière révolte juive menée par un certain Bar Kokhba ne soit matée à son tour le 9 Av 135, au terme de trois années d'une guerre meurtrière. A l'emplacement du Temple juif détruit, un autre temple est érigé, dédié à Jupiter Capitolin.

Leurs conséquences

Cette tragédie restera à jamais présente dans la mémoire juive et le calendrier juif fera de la date du 9 Av un jour de jeûne. Ses conséquences immédiates sont dramatiques pour les juifs : exilés et dispersés, leur unité nationale, religieuse, territoriale n'existe plus.

Mesurés dans la longue durée cependant, ces événements prennent un tout autre relief car c'est de cette tragédie que naît le judaïsme rabbinique et c'est à la même période qu'émerge et se diffuse, depuis la Palestine, une religion nouvelle, le christianisme.

Les juifs sont politiquement et militairement défaits, mais le judaïsme, lui, survit à la catastrophe. La tradition en attribue le mérite à Yo'hanan ben Zakkaï, personnage à la stature légendaire auquel le Talmud attribue un rôle majeur. L'histoire quant à elle en attribue le mérite à l'exceptionnelle capacité d'adaptation dont les juifs font preuve et aux relais que constituent pour eux les centres juifs déjà établis hors de Palestine.

L'exercice du pouvoir a toujours été le maillon faible d'une nation juive en permanence divisée de l'intérieur et déjà rodée de longue date à la domination et à l'occupation étrangères. De fait, aussi longtemps que les juifs peuvent demeurer sur leur sol et y pratiquer leur religion à peu près librement, la perte de leur indépendance politique n'a pas de conséquences fatales pour eux. Sans doute a-t-elle des retombées fâcheuses, mais le fait de vivre sous le joug de puissances étrangères ne les empêche pas d'exister en tant que nation ni de vivre, pour l'essentiel, conformément à leur constitution religieuse.

Là, pourtant, où les choses deviennent plus inquiétantes, c'est lorsque l'unité politique et religieuse, qui ne font qu'une, apparaît menacée à son tour. Comment rester juif dans la dispersion et le déracinement ? Par quoi remplacer le culte et son sanctuaire ? Comment perpétuer la tradition ailleurs que sur le territoire auquel cette tradition doit précisément son existence ?

Par la réponse qu'ils apportent à ces questions cruciales, Yo'hanan ben Zakkaï et, plus largement, les sages des académies talmudiques sauvent le judaïsme d'une disparition probable en le libérant de la double entrave que constituent dans de telles circonstances le lien territorial et le culte du Temple.

De fait, les juifs n'ont pas attendu la prise de Jérusalem ni la destruction du Temple pour s'inquiéter de la conservation et de la transmission de la tradition religieuse. Ils ont commencé à s'en préoccuper dès le premier exil au temps de leur séjour babylonien. L'enseignement de la Loi et la recherche permanente de solutions légales à des problèmes inédits ont déjà considérablement augmenté le volume des textes et traditions qui font autorité. A tel point que des docteurs de la Loi consacrent leur temps à les mettre en forme, à les trier, à en systématiser et codifier les méthodes d'interprétation et de transmission par l'élaboration de règles que la tradition fixera (c'est là la définition de l'herméneutique). Ce travail de fourmi se fait dans les académies talmudiques de Palestine et de Babylone. D'où l'existence de deux Talmud, celui de Jérusalem et celui de Babylone.

Jusqu'alors, ces exercices se pratiquaient oralement. Mais, dès qu'ils mesurent la gravité de la situation, ceux du parti pharisien, au nombre desquels Yo'hanan ben Zakkaï, comprennent que cette somme de mémoire vivante et de savoirs risque d'être emportée dans la tourmente de la guerre. Avec elle, c'est tout le patrimoine religieux, spirituel, intellectuel d'Israël qui disparaîtrait à jamais. Aussi entreprennent-ils de coucher par écrit des siècles d'enseignement et de traditions orales, afin que leurs traces écrites survivent aux hommes. Ayant obtenu l'autorisation de s'installer à Yavné, c'est-à-dire à une distance raisonnable de Jérusalem, ils échappent au désastre et peuvent travailler au calme, tandis qu'en Babylonie, où les académies talmudiques prospèrent de leur côté, on se livre à une tâche identique.

Cet épisode mi-légendaire mi-historique aura une portée capitale. En bons pharisiens qu'ils sont, et à la différence des sadducéens qui ne reconnaissent que l'autorité de la Torah écrite et du Temple,

Yo'hanan ben Zakkaï et les siens proclament l'autorité de la Torah dans sa version écrite *et* dans sa version orale, cette dernière étant à l'origine du Talmud. Ce faisant, ils placent l'exigence éthique au cœur du judaïsme. Selon eux encore, l'Écriture demande à être constamment interprétée. Ils considèrent, à juste titre, qu'en cas de destruction du Temple et de dispersion du peuple celle-ci doit, plus que jamais, demeurer une source vive.

De fait, le dispositif que les pharisiens mettent en place consiste rien moins qu'à déplacer la centralité de la vie juive du Temple vers la Torah, à réorganiser cette dernière en instituant la Loi en lieu et place du Temple, l'étude, la prière, le rite domestique et synagogal en lieu et place du culte. Le judaïsme posthébraïque, dont la configuration à venir se développera sur ces bases nouvelles, doit à ces sages, pharisiens, rabbins, docteurs de la Loi, d'avoir su opérer ce passage.

Mais la dispersion doit-elle fatalement entraîner l'oubli de la terre et l'effacement de la mémoire du Temple ? Certes, non. La terre et le Temple vont demeurer présents, sur un autre registre.

Exil-galout

Le judaïsme désigne l'échec du projet théologico-politique que proposait l'Alliance et la longue période qui en résulte par la notion de *galout*, mot qui signifie l'exil et la dispersion. Avec la *galout*, le judaïsme diasporique instaure un rapport à la terre fondé sur une conception religieuse et mystique de l'exil.

Les docteurs de la Loi s'attachent moins à la dimension historique des événements qui viennent de se produire qu'à leur signification spirituelle. Ils y voient une sanction divine, le début d'une période de pénitence qui ne prendra fin qu'au jour de la rédemption, en vue de laquelle chacun doit œuvrer en s'en remettant à l'autorité de la Loi, conformément aux décisions des rabbins et de la tradition.

Mais l'exil ne s'arrête pas là. A l'exil du peuple s'ajoute l'exil de Dieu. Comment et pourquoi l'interprétation rabbinique franchit-elle ce pas audacieux ?

Exil et présence de Dieu

Tout au long de la période biblique, Dieu était un agent actif de l'histoire : Il était présent, s'exprimait, se manifestait. Son exil désigne son retrait de l'histoire et le silence que désormais Il s'impose, silence qui, d'ailleurs, ne commence pas avec l'exil puisque Dieu s'est tu après les derniers prophètes, dès le début de la période du second Temple.

Mais même muet, Dieu semblait devoir ne jamais faire défaut à Son peuple. Aussi longtemps que le Temple dont Il avait fait Sa résidence était là, dressé au milieu de Sa ville, Sa présence au milieu des siens semblait assurée. Or avec la *galout*, elle ne l'est plus. D'autant que d'autres revendiquent la filiation légitime d'Israël.

Germe alors l'idée selon laquelle Dieu emboîte le pas des enfants d'Israël et part en exil avec eux. Chassé de Son sanctuaire et de Sa terre, il se fait un devoir d'être à leurs côtés dans le malheur. Cette présence de Dieu, que l'hébreu désigne du nom de *shekhina*, présence invisible et muette mais aimante, laisse entendre que Dieu a peut-être puni Son peuple pour ses fautes, mais qu'Il ne l'a pas abandonné, que ni la punition ni l'exil ne sont éternels et qu'il est donc du devoir du juif d'espérer.

Cette lecture mystique de l'exil aura des retombées considérables car désormais les juifs supporteront leur condition diasporique en développant un rapport ambivalent et déréalisé à la terre. Par la pensée, la prière et la liturgie, ils survaloriseront une terre promise dont l'inaccessibilité renforcera le caractère sacré. En revanche, bien qu'ils s'y établissent et déclinent périodiquement toute offre de retour en Judée, ils déprécieront toute forme de lien et d'enracinement dans leurs terres d'exil. L'utopie de la terre promise nourrira sans relâche leur espérance eschatologique de « retour à Sion », et, bien avant de devenir l'enjeu politico-religieux que l'on sait, ce haut lieu de l'épopée biblique restera au centre de l'imaginaire collectif juif. Il fonctionnera comme un efficace ferment d'espoir. A travers les dates de leur calendrier, les mots de la prière, les gestes du rituel, les juifs de diaspora continueront à vivre au rythme des sacrifices et des pèlerinages triannuels à Jérusalem. En s'obstinant à étudier sans relâche les prescriptions bibliques liées à la terre d'Israël, ils entretiendront la mémoire d'un passé devenu mythique en même temps que l'attente messianique du retour.

Exil et errance

Conduite compensatoire par excellence en réaction à l'aliénation radicale que représente la condition diasporique, l'errance sera perçue comme une modalité de l'être juif inscrite dans l'étymologie même de son nom. L'Hébreu (en hébreu : *ivri*, celui qui passe) des origines n'est-il pas un nomade ?

Des traditions ultérieures prendront pour modèles des personnages qui, comme Abel le nomade, n'ont pas d'enracinement territorial (Genèse IV, 1-9) ou qui, comme Abraham, sont capables d'y renoncer (Genèse XII, 1-4) ; elles érigeront en symboles les épisodes où le déracinement est perçu comme signe de détachement des choses matérielles, de refus des compromissions citadines et politiques. N'est-ce pas dans le désert que le peuple juif a (comme tous les peuples dont l'origine se perd dans le mythe) fait le rude apprentissage de la liberté ?

L'errance cependant comportera aussi son versant d'ombre, incarné dans des figures de réprouvés, tel Caïn, condamné à être « errant et fugitif par le monde » après le meurtre de son frère Abel (Genèse IV, 1-16). Figure type du paria, Caïn symbolise l'exil, mais un exil vécu dans la souffrance, l'angoisse et la précarité.

La catastrophe de 70 n'est pas la première que subissent les juifs. Un premier Temple a déjà été détruit. Jérusalem leur a déjà été ravie et ils ont déjà connu l'exil. Or, l'exil babylonien ne s'est pas révélé fatal au judaïsme. Les juifs y ont démontré leur capacité à vivre en diaspora, loin de leur pays et de leur sanctuaire, tout en demeurant fidèles à la Torah. Ceux qui sont demeurés en diaspora y ont développé des communautés où la qualité de la vie juive n'avait rien à envier à celle de Jérusalem. Autrement dit, les juifs ont déjà fait l'expérience de la condition diasporique et minoritaire, ils ont déjà éprouvé la nécessité de développer de nouvelles formes d'organisation sociale et religieuse. Il est vrai qu'alors seule une partie du peuple juif vivait en diaspora et que son centre territorial et religieux avait été rétabli. Cette fois-ci, pourtant, la situation est plus grave et les juifs se préparent à une expérience autrement plus durable de la rupture et de l'exil.

Cette période est décisive à bien d'autres égards encore. En ces temps troubles, sectes et courants religieux se multiplient et nombreux sont ceux qui se préparent à la fin des temps. Les spéculations messianiques vont bon train et la littérature apocalyptique connaît un développement formidable. Chaque jour voit se lever un prophète ou un messie et les prédicateurs enflamment les foules. Les uns restent dans les villes parmi les hommes. D'autres se retirent au désert et y inventent un style de vie qui servira de modèle aux futurs moines et ermites chrétiens, avant que, sous l'impulsion de Paul, ne commence à se diffuser aux quatre coins du monde, et à attirer un nombre croissant de fidèles, un message dont l'ampleur connaîtra un destin exceptionnel. Le christianisme naît en effet dans ce climat d'attente fébrile.

Dorénavant, les juifs et le judaïsme devront compter avec cette religion nouvelle. Ils la rencontreront partout. Le christianisme ne cessera d'exercer sa pression sur les juifs. Face à une Église bientôt triomphante et devenue l'alliée des empires et des royaumes, les juifs devront en permanence justifier leur droit de rester juifs et démontrer l'authenticité et la valeur de leur propre tradition.

Cette dialectique du particulier et de l'universel qui va s'instaurer entre juifs et chrétiens, les juifs en ont déjà fait l'expérience dans leur rencontre avec la Grèce et l'hellénisation de la culture juive en Palestine même ; car les juifs ont eu bien du mal à résister à la séduction de cette civilisation à vocation universelle que tout oppose au particularisme revendiqué, et chèrement payé, de leur propre culture. Ils en ont dénoncé les vices et évalué la menace qu'elle faisait peser sur la pureté de leurs mœurs et de leurs idéaux éthiques et religieux mais, dans le même temps, ils n'ont pu que trouver admirable une civilisation à laquelle ils ont tellement emprunté, de l'architecture aux modes de pensée.

Cette fois, ce n'est plus Athènes qui incarne l'universel et l'altérité radicale, c'est l'Église. La dialectique de l'universel et du particulier qui va se jouer dans le face-à-face judéo-chrétien va prendre une tout autre dimension, car il ne s'agit plus d'une simple confrontation, mais d'une mise en cause du judaïsme et de sa prétention à l'élection. Le judaïsme en effet se voit désormais contester par l'Église, et au profit de celle-ci, son statut de *Verus Israel*. Désormais, c'est l'Église qui, par sa reprise du message prophétique et l'annonce de la Nouvelle Alliance aux peuples de la terre, prétendra assumer la mission universelle autrefois dévolue à Israël. Témoin déchu du triomphe de cette religion nouvelle qui saura s'imposer au-delà des frontières et des mers, Israël se trouve ainsi dépossédé de ses prérogatives messianiques et universelles, enfermé dans un particularisme qu'il continuera à cultiver mais qui sera lourd à assumer. L'antijudaïsme chrétien n'aura de cesse de conforter la position hégémonique de l'Église, scellée dans la Nouvelle Alliance et son message évangélique, en leur opposant la trahison et l'aveuglement des juifs, en faisant peser sur ceux-ci le poids de la culpabilité héréditaire et collective contenue dans l'accusation de peuple déicide ennemi de la chrétienté.

Dès lors, la chrétienté adoptera une attitude ambiguë à l'égard des juifs. D'un côté, les théologiens médiévaux verront en eux les frères aînés de l'Église, contemporains de Jésus et premiers destinataires d'un message divin qu'ils auront su consigner et conserver précieusement dans leurs Écritures, au titre de quoi l'Église se devra de les protéger. Mais de l'autre, l'Église considérera les juifs comme des brebis égarées, entêtées dans l'erreur. A ce titre, sa stratégie sera double : d'un côté, elle s'évertuera à abaisser et à stigmatiser les juifs aussi longtemps que ceux-ci persisteront dans leur refus de reconnaître la vérité du Christ et de la Nouvelle Alliance ; de l'autre, elle s'efforcera de les ramener dans son giron.

Ainsi, positivement ou négativement, les juifs seront en permanence appelés à participer à l'économie du salut telle qu'enseignée par les Pères de l'Église. Leur abaissement tout comme leur conversion devra servir de témoignage et de faire-valoir. Protégés ou culpabilisés, stigmatisés ou invités à revenir, les juifs témoigneront dans tous les cas, par leur présence, de la vérité et du triomphe de l'Église. Cette ambivalence théologique à l'égard des juifs explique pourquoi l'antijudaïsme chrétien n'ira jamais jusqu'à prôner la destruction totale des juifs. Ce n'est pas tant leur disparition qu'attend l'Église de son interminable face-à-face avec les juifs, que la conversion finale des fils de ce peuple à la nuque raide.

II
LE JUDAÏSME TRADITIONNEL, DE 70 À L'ÉMANCIPATION

III / Rappel historique

Introduction

La longue période qui s'ouvre pour les juifs est faite de va-et-vient incessants entre ombre et lumière. Elle confirme surtout le tournant annoncé dès la fin de l'époque précédente. Dès lors qu'il ne peut éviter la confrontation avec l'extérieur dans un rapport de force inégal, le judaïsme apprend à s'adapter aux circonstances. Quelle est désormais la nouvelle donne ?

Le changement, c'est d'abord et avant tout l'effacement du centre palestinien au profit de la diaspora. Ensuite, ce sont de nouveaux pôles de vie juive qui se développent et essaiment en Asie, en Europe, en Afrique. Ils connaîtront des alternances de stabilité et de tranquillité (globalement jusqu'au XIe siècle) puis de violence et de persécutions (notamment à l'époque des croisades et de l'Inquisition) ; des périodes de rayonnement culturel et social (les « âges d'or » espagnol, polonais, ottoman) suivies de phases de déclin (fin du califat de Bagdad ou du régime d'autonomie en Pologne). Ces alternances rythmeront de façon répétitive l'histoire des juifs en diaspora.

Dans leurs lieux de résidence, les juifs connaissent tour à tour la faveur des princes et les persécutions. Ils savent mettre à profit les périodes calmes pour prospérer économiquement, approfondir et élargir leurs contacts avec l'extérieur, développer leurs connaissances, contribuer à la culture générale, comme au haut Moyen Age, par exemple, où la philosophie et la mystique juives prennent leur essor, portées par des climats propices.

Mais ces moments de grâce ont le plus souvent une fin. Des périodes noires leur succèdent, au cours desquelles les juifs ont à souffrir de mesures vexatoires et infamantes. Ce sont alors pour eux des phases de repli et de verrouillage interne. Lorsque, aux XIIe et XIIIe siècles, avec la christianisation de l'Europe, l'Église voit son rôle politique et social grandir, les juifs voient leur place dans la société contestée et sont peu à peu relégués au rang d'étrangers. Au mieux, on les considère comme des intrus, au pis comme des figures diaboliques. Ce changement d'attitude commence par des rumeurs. On accuse les juifs de pratiquer des meurtres rituels, d'empoisonner les puits. Mais bientôt ces accusations valent le bûcher à des communautés entières, comme à Blois ou à Norwick.

A partir du IVe concile de Latran (1215), les mesures de ségrégation et les interdits se multiplient : port de vêtements ou de signes distinctifs, restrictions de résidence, interdiction de posséder des terres, d'employer des chrétiens. Humiliations, marginalisation, spoliations, violences physiques ne sont pourtant que les préludes à la vague d'expulsions qui agite l'Europe. En avance de près d'un siècle sur son temps, Philippe Auguste signe le premier décret d'expulsion dès 1182 ; l'Angleterre attend 1290 pour suivre son exemple ; la France récidive en 1306, puis de nouveau en 1394. Son dernier édit d'expulsion sera renouvelé en 1615 par Louis XIII (ce qui prouve qu'après chaque expulsion les juifs reviennent, rappelés en raison de leur utilité économique) ; l'Espagne fait de même en 1492 et le Portugal en 1498. Quant aux juifs d'Allemagne, d'Italie, de Pologne, ils subissent un sort analogue.

Saint Louis

Les juifs ont quelque difficulté à considérer Louis IX comme un saint, en raison de son attitude à leur égard. Passé à la postérité sous les traits du roi dévot épris de justice, idéalisé par une imagerie populaire le représentant occupé à rendre la justice sous son chêne, on sait moins que Louis IX avait « en abomination les juifs odieux, à tel point qu'il ne pouvait les voir et refusait de faire servir à son usage quoi que ce soit de leurs biens » (selon son biographe Guillaume de Chartres ; cf. *Histoire de la France religieuse*, vol. 1, *Des origines au XIVe siècle*, sous la direction de Jacques Le Goff et René Rémond, Paris, Seuil, 1988, p. 406) ; on sait moins que c'est lui qui ordonne, en 1242, la destruction par le feu de tous les exemplaires du Talmud à la suite d'une controverse publique (1240) opposant des théologiens chrétiens à des docteurs de la Loi et qui, le premier, impose aux juifs, en 1269, le port de la rouelle, signe distinctif fixé sur le vêtement qui se veut marque d'infamie. Si les motifs du roi sont religieux, dictés par sa foi chrétienne, ils n'en contribuent pas moins au processus de dégradation de la condition des juifs dans l'Occident médiéval.

Certes, s'il y a dans cette histoire plus de sang et de larmes qu'il n'en faut pour tremper l'identité d'un peuple, il n'y a pas que cela.

Car là est bien, sinon le miracle, du moins l'aboutissement de ce long parcours. Chaque épisode des souffrances endurées par les juifs participe, certes, à l'écriture d'un chapitre inédit de la chronique du malheur juif. Mais chaque épisode de cette histoire dote aussi les juifs d'une expérience à méditer. Enfin, ces alternances d'« embellies » et d'« obscurité », de stabilité et de pérégrinations, d'ouvertures et de repli, façonnent un judaïsme où l'apport des cultures des pays hôtes le dispute en permanence à la nécessité de préserver à tout prix l'héritage ancestral commun.

Repères chronologiques

Cette période se partage en deux, entre une période orientale et une période occidentale.

La première, la période orientale, est celle où la Perse et Babylone ont déjà remplacé la Palestine comme centre rayonnant du judaïsme. Elle sera relayée par une période occidentale au cours de laquelle les pôles culturels et démographiques de la vie juive basculeront de l'Orient babylonien vers l'Europe, sans que les juifs puissent peser d'une quelconque façon sur la marche de l'histoire. Ce qui fera parler certains de « sortie de l'histoire » des juifs.

Certes, les juifs sortent, durablement, de l'histoire politique des empires et des royaumes. Mais ils ne sortent pas de l'histoire des hommes et des idées car trois nouveaux foyers d'intense activité juive émergeront et rayonneront au cours de cette période de presque deux mille ans. Ce seront le foyer oriental, d'une part, et les branches sépharade et ashkénaze du foyer occidental, de l'autre.

Le judaïsme oriental

Héritier direct du judaïsme biblique, il remonte à la destruction du premier Temple et au premier exil. On sait que, à la suite de leur déportation à Babylone en 586 av. J.-C. et après que le souverain perse Cyrus leur eut proposé de retourner chez eux un demi-siècle plus tard, tous les juifs ne quittent pas les rives du Tigre et de l'Euphrate pour regagner la Palestine. Beaucoup choisissent de rester sur place, troquant du même coup leur statut d'exilés pour celui d'expatriés volontaires. Si bien que la Babylonie devient le premier centre juif de diaspora. Elle le restera jusqu'au XIe siècle.

Les juifs y bénéficient de conditions qui leur permettent de prospérer et de connaître un épanouissement intellectuel exceptionnel. Pour preuve, les académies de Soura, Poumbédita et Néhardéa acquièrent un prestige sans précédent. C'est là que les grands maîtres (*amoraïm**, *savoraïm**, *geonim**) mènent à bien le patient travail qui permettra au Talmud de voir le jour.

La littérature rabbinique

Le corpus scripturaire qui compose cette littérature est formé de blocs distincts : *michnah**, *tossefta*, Talmud de Jérusalem, Talmud de Babylone, *midrach*. Leur mise en forme définitive s'est échelonnée sur plusieurs siècles.

1. La *michnah* réunit les lois orales développées depuis l'époque des scribes (300 av. J.-C.) jusqu'en l'an 200. Sa rédaction est attribuée à Rabbi Judah Hanassi. Elle comprend six ordres formés de soixante-trois traités, eux-mêmes divisés en chapitres et paragraphes. Les sujets évoqués dans ces ordres concernent des domaines variés : 1) *zeraïm* (les semences) traite des bénédictions et des prières quotidiennes et des lois relatives à l'agriculture ; 2) *moed* (jour de fête) traite des jours de fête, de jeûne et du chabbat ; 3) *nachim* (femmes) s'intéresse au mariage, au divorce et par extension aux autres vœux ; 4) *nezikim* (dommages) discute du droit civil et pénal, de l'idôlatrie et propose un commentaire du traité *Avot* (les Pères) ; 5) *qodachim* (les choses saintes) traite de l'abattage rituel des animaux en vue de leur consommation, des sacrifices au Temple, des offrandes, du service du Temple ; 6) *tohorot* (pureté) est consacré aux règles de pureté et d'impureté. La *michnah* constitue le codex juridique qui sert de base au commentaire talmudique (*guemara*).

2. La *tossefta* (additif) est une compilation juridique de structure identique à celle de la *michnah*, mais quatre à six fois plus volumineuse. Elle en complète les enseignements.

3. Le *Talmud* réunit les enseignements et les discussions sur la *michnah* élaborés dans les académies de Palestine et de Babylonie jusqu'à la clôture et la fixation définitives de son corpus à la fin du VIe siècle. Il comprend deux versions :

— le *Talmud de Jérusalem* ou *yerushalmi*, élaboré dans les académies de Palestine (Césarée, Séphoris, Tibériade). Moins volumineux et moins prestigieux que son vis-à-vis babylonien, sa compilation s'est achevée vers 400 ;

— le *Talmud de Babylone* ou *babli*. Écrit dans une langue plus riche et dans un esprit de plus grande liberté, ce commentaire de la *michnah* s'est acquis une autorité qui a supplanté celle du *yerushalmi*. On situe sa clôture au VIe siècle.

4. Le *midrach* se compose d'une série d'écrits exégétiques sur la Bible. Il comprend deux branches : le *midrach halakhah*, prescriptif, et le *midrach haggadah*, récits légendaires à visée morale dont les héros sont des personnages bibliques. Le *midrach* est d'origine palestinienne et sa rédaction s'étend sur plusieurs siècles.

5. Le *choul'han aroukh*, ou *table dressée*, est la codification de la loi religieuse établie à Safed au XVIe siècle par Joseph Caro. Rédigé dans un style concis à l'usage des juifs sépharades, il s'accompagne d'ajouts dus à Moïse Isserlès de Cracovie, connus sous le nom de *mappah* (la nappe), à l'usage des communautés ashkénazes. Prise dans son ensemble, cette œuvre constitue une somme inégalée en matière de loi religieuse et reste la référence reconnue et admise par toutes les communautés juives. Une édition abrégée du *choul'han aroukh* et d'usage plus facile, le *qitsour*, a été réalisée en Hongrie au XIXe siècle.

Des juifs sont également établis en Égypte, sur la presqu'île d'Éléphantine, mais surtout à Alexandrie où ils forment une communauté prospère. Dès le IIIe siècle av. J.-C., une traduction grecque de la Bible hébraïque connue sous le nom de Septante est entreprise à l'intention de ces juifs qui ont abandonné l'usage de l'hébreu au profit du grec.

Bien avant la disparition du centre palestinien, d'autres communautés juives s'établissent en Orient et sur le pourtour méditerranéen où les juifs ouvrent des comptoirs. Ce foyer oriental parvient jusqu'au seuil du millénaire après avoir connu successivement les dominations babylonienne, perse, séleucide, parthe, romaine, sassanide, byzantine, puis arabe. Son rayonnement intellectuel et religieux s'étend et se maintient sur l'ensemble du monde juif pendant plus de mille cinq cents ans (de 586 av. J.-C. à 1099). Mais il ne résiste ni à la chute du califat de Bagdad au début du XIe siècle ni à l'arrivée des Croisés en 1099, lesquels commencent par chasser et massacrer juifs et Arabes de la Terre sainte qu'ils viennent de conquérir.

Le judaïsme occidental : ashkénaze et sépharade

Alors que le judaïsme oriental amorce son déclin, le foyer occidental, lui, n'en est encore qu'au début de son histoire.

Les juifs s'établissent en Europe dès l'Antiquité en montant progressivement du sud vers le nord. Ils commencent par s'établir dans le sud de la France, en Italie, en Espagne, en Allemagne et n'atteignent l'Angleterre, la Pologne et la Russie que plus tard.

Ce n'est qu'à partir du Ve siècle, après la chute de l'Empire romain d'Occident et avec le début de la christianisation de l'Europe, que commence véritablement son histoire. Encore que rares sont les documents à nous informer, ici ou là, d'une présence juive. Tolérés par la société médiévale, ils sont apparemment bien intégrés. Qui plus est, Charlemagne se signale comme un souverain tolérant à leur égard et ils jouissent d'une bonne image qui se retournera contre eux d'ailleurs puisque l'Église ne tardera pas à dénoncer leur prosélytisme, alors même que le judaïsme n'est pas prosélyte (cf. *infra*), ainsi que la bonne entente régnant entre juifs et chrétiens.

Au VIIIe siècle, l'Europe occidentale connaît de profonds bouleversements. Les Arabes envahissent l'Espagne tandis que Charlemagne fonde l'Empire romain germanique qui comprend la France, l'Allemagne et le nord de l'Italie. Ce partage inégal de l'Europe en deux espaces géopolitiques distincts dessine les contours des deux futurs espaces de civilisation juive entre lesquels se répartiront les juifs européens (à l'exception toutefois des juifs de Provence, rattachés aux États pontificaux, et qu'on appellera les « juifs du pape », et de ceux du sud de l'Italie). C'est de cette division initiale que date la distinction entre sépharades et ashkénazes.

Le judaïsme sépharade

La conquête de l'Espagne (en hébreu *sefarad*) par les Arabes en 711 met fin au pouvoir des Wisigoths et aux persécutions qu'ils infligent aux juifs. Aussi est-ce avec soulagement que ces derniers accueillent leurs nouveaux souverains. Cette période, politiquement agitée, les princes chrétiens n'ayant de cesse de reconquérir la totalité de leur territoire, sera globalement faste pour les juifs, jusqu'au XIIIe siècle tout au moins.

• L'*âge d'or* du judaïsme espagnol commence au Xe et s'achève au XIIe siècle. Si cette période de près de trois siècles s'est acquis une telle image, c'est en raison de son climat de tolérance et de liberté de pensée, exceptionnel pour l'époque. C'est aussi et surtout parce que ce climat rendra pour la première fois possibles la rencontre et les échanges entre intellectuels juifs, musulmans et chrétiens.

La réalité fut sans doute moins idyllique que l'image qu'elle a laissée, mais cette période n'en reste pas moins gravée dans les mémoires collectives comme une période de progrès et d'intense effervescence intellectuelle. La poésie juive lui doit ses plus belles pièces et sa littérature religieuse certaines de ses plus belles œuvres. Parmi bien d'autres, les noms du philosophe néo-platonicien Ibn Gabirol et du moraliste Ba'hia Ibn Pakuda, du poète Judah Halévi ou du codificateur de la Bible, philosophe et médecin Maïmonide, côtoient ceux d'Avicenne et d'Averroès (musulmans).

Comme leurs homologues chrétiens et musulmans, les juifs lettrés de l'époque aspirent à la synthèse entre cultures religieuse et séculière, entre philosophie, science et religion. Qui plus est, le souci de ces maîtres, qui s'expriment et écrivent indifféremment en hébreu ou en arabe, d'être lus et compris du plus grand nombre fait faire d'immenses progrès à la philosophie et à la traduction.

Lorsqu'ils se lancent dans la Reconquête, les souverains chrétiens se montrent d'abord bien disposés à l'égard des juifs. Bien que la majorité d'entre eux appartienne au petit peuple et partage la condition modeste de leurs contemporains, relativement nombreux néanmoins sont ceux qui occupent des charges importantes dans l'administration et qui assument des responsabilités dans les sphères du pouvoir. Quelques-uns ont amassé des fortunes et exercent une certaine influence.

• *Le déclin.* — Au XIIIe siècle, la pression de l'Église se fait plus forte et le zèle de rechristianisation impulsé par les ordres missionnaires attise les sentiments antijuifs de la population. A cette agressivité religieuse s'ajoutent les sentiments de jalousie qu'alimente la réussite visible des juifs fortunés ou de ceux qui sont proches du pouvoir. Durant tout le XIVe siècle, la situation des juifs va se dégradant et le 4 juin 1391 le point de non-retour est atteint lors du pogrom de Séville. Cette date marque le début d'un long processus de déclin pour le judaïsme espagnol. Il se déploiera sur un siècle, jusqu'au décret d'expulsion générale du 31 mars 1492, jour de la prise de Grenade qui mettra un terme définitif au pouvoir arabe en terre d'Espagne.

Entre-temps, les violences antijuives se propagent dans tout le pays et font des milliers de victimes. Des femmes et des enfants juifs sont massacrés, des maisons juives sont pillées, des quartiers juifs sont brûlés, des synagogues sont transformées en églises. Des enfants et des adultes sont baptisés de force. Avec les lois de Valladolid promulguées en 1412, les juifs voient leurs acquis sociaux, politiques et économiques se réduire comme peau de chagrin jusqu'à leur mise à l'écart définitive. Selon certaines estimations, un tiers des juifs est massacré, un autre converti et le tiers restant doit fuir ou se cacher.

• *L'Inquisition.* — Beaucoup choisissent la conversion. Par sincérité, nécessité ou opportunisme. Mais il apparaît très vite que la seule conversion ne suffit pas. Les « nouveaux chrétiens » finissent par former un groupe à part au sein de la société espagnole en raison de la suspicion qui les entoure. Ni chrétiens ni juifs, ils sont soupçonnés, à juste titre parfois, de « judaïser » en secret et de propager l'hérésie. Effectivement, nombreux sont les *marranes*, c'est-à-dire les convertis qui continuent à pratiquer secrètement leur religion. Il incombera à l'Inquisition de les repérer et de sévir.

Cette chasse à l'hérésie n'empêchera cependant pas quelques convertis d'accéder à des positions importantes dans les rouages de l'État, voire dans la hiérarchie ecclésiastique.

• *L'expulsion.* — Lorsque Isabelle et Ferdinand II scellent par leur mariage l'union des couronnes de Castille et d'Aragon, l'Inquisition, mise en place en 1478 pour combattre l'hérésie et s'assurer de la généalogie sans tache des familles espagnoles de vieille souche, scelle de son côté le sort des juifs. Ceux qui ont accepté le baptême doivent pouvoir prouver qu'ils sont de bons chrétiens, faute de quoi, c'est le bûcher qui les attend. Quant aux autres, ils doivent quitter l'Espagne au plus tard dans les trois mois qui suivent le décret d'expulsion générale. Combien sont-ils à fuir ? On n'en sait rien et les estimations sont peu fiables.

• *La diaspora sépharade*. — Si, dans la péninsule Ibérique, l'histoire du judaïsme sépharade est en passe de s'achever, celle de la diaspora sépharade en revanche ne fait que commencer. Les expulsés gagnent d'abord l'Est et le Sud méditerranéen, l'Empire ottoman et, dans une moindre mesure, l'Afrique du Nord. Ils y sont accueillis par des communautés juives qui, pour certaines, descendent de l'antique judaïsme oriental. L'arrivée des sépharades sur les rives africaines de la Méditerranée fait revivre ces communautés en déclin qui connaissent alors un nouvel essor et ont tôt fait d'adopter leurs habitudes. C'est pour cette raison qu'aujourd'hui l'appellation « sépharade » ne désigne pas seulement les juifs d'origine ibérique, mais l'ensemble des juifs établis en terres d'islam.

Quant aux communautés sépharades d'Europe, elles sont formées, pour la plupart entre le XVIe et le XVIIIe siècle, par d'anciens marranes revenus ouvertement au judaïsme qui s'établissent là où ils espèrent pouvoir échapper à l'Inquisition et jouir d'un minimum de liberté religieuse : le long du littoral atlantique (Bordeaux, Anvers, Hambourg, Amsterdam, Londres), d'où certains poussent plus à l'ouest jusqu'au Nouveau Monde, et sur la face orientale de l'Europe (Venise, péninsule italienne, Grèce). Les réseaux tissés par l'émigration et la dispersion favorisent le commerce international dans lequel ils sont nombreux à se lancer et à réussir. A la différence de ce qui se passe en Afrique du Nord, ils ne se mélangent pas avec les juifs autochtones et développent leurs propres communautés.

Le judaïsme ashkénaze

A l'origine, *ashkenaze* désigne l'Allemagne, mais son usage courant couvre un ensemble plus large. Appliquée initialement aux premières implantations juives établies en Champagne et le long de la vallée du Rhin, l'appellation s'étend progressivement à l'ensemble des juifs qui partagent la langue, la culture, le mode de vie et les valeurs issus de cette matrice originelle. Les expulsions et les grandes vagues migratoires des XIe-XIIIe siècles puis des XVe-XVIe siècles élargiront son aire d'influence et déplaceront ses centres vers l'Est (Bohême, Moravie, Pologne, Lituanie), avant d'en créer de nouveaux, à l'ouest cette fois, jusque dans les Amériques.

Au début du Moyen Age, les juifs ashkénazes pratiquent un large éventail de métiers ; ils sont artisans ou cultivateurs mais surtout marchands. Ils participent au développement des villes et fréquentent les grandes foires (ce qui leur fournit aussi l'occasion de se retrouver entre eux, entre juifs appartenant à des communautés éloignées les unes des autres, et de régler les questions communautaires qu'ils laissent en suspens d'une foire à l'autre). C'est pourquoi ils s'établissent de préférence le long des voies navigables qui relient villes et régions entre elles (Rouen, Lyon, la vallée du Rhin). Certains, comme Rachi, le grand commentateur de la Bible, possèdent des vignes qu'ils exploitent eux-mêmes et dont ils tirent leurs revenus.

Avec les croisades et les premières persécutions antijuives, les conditions de vie des juifs se dégradent. L'interdiction de posséder et de travailler la terre les chasse des campagnes ; les corporations leur ferment leurs portes. Les restrictions apportées à leur liberté de circulation (on exige d'eux un droit de péage pour entrer dans les villes) et de résidence (ils n'ont pas le droit de rester dormir la nuit dans certaines villes, comme Strasbourg) rendent leur vie quotidienne de plus en plus difficile et aléatoire. On ne leur laisse quasi plus d'autres moyens d'existence que les activités d'intermédiaires (aubergistes, intendants, collecteurs d'impôts) ou celles qui sont réprouvées par l'Église (le commerce de l'alcool), voire interdites et condamnées par elle (le commerce de l'argent, l'usure), mais néanmoins indispensables à l'activité économique. Tout comme le petit peuple, nobles et souverains le savent et font régulièrement appel aux juifs. Passant outre les édits d'expulsion, ils les rappellent régulièrement ou simplement les tolèrent, sachant qu'ils pourront recourir à eux à tout moment, pour financer une expédition militaire ou une opération commerciale d'envergure.

• *L'âge d'or polonais.* — En Pologne-Lituanie, les juifs sont bien accueillis par les princes et la noblesse, qui manquent d'hommes et de femmes pour peupler leurs immenses territoires et les villes nouvelles qui sortent de terre. Ce qui vaut aux juifs d'être protégés par des chartes qui leur octroient des privilèges. Pendant un temps, ils peuvent même battre monnaie.

C'est là que le monde ashkénaze atteint son plus haut niveau de développement démographique et culturel. Son mode de gouvernement y assure aux communautés juives une large autonomie interne, encore que, comme partout ailleurs, la principale ombre au tableau y soit l'antijudaïsme clérical et populaire qui sévit de façon sporadique et parfois violente.

De fait, leur position d'intermédiaires (ils sont intendants, administrent les domaines, lèvent les impôts, gèrent les récoltes et les stocks de denrées agricoles) les rend impopulaires. Les haines et les frustrations des paysans pauvres accablés d'impôts et celles d'une petite bourgeoisie qui prend corps dans les villes se cristallisent sur eux. Elles sont attisées et entretenues par un clergé traditionnellement hostile qui ne peut que fustiger leur pénétration progressive dans les rouages de la vie économique et sociale.

• *Le déclin.* — A partir du XVIIe siècle, une série d'événements ruine définitivement cet équilibre. Les massacres perpétrés par les cosaques de Chmielnicki (1648-1649), l'invasion de la Crimée par les Tartares, les guerres contre la Suède font des milliers de victimes et font refluer vers le centre de l'Europe des milliers de juifs dont les communautés sont détruites, avant que les partages successifs de la Pologne en 1772, 1793 et 1795 ne rompent l'unité politique du plus vaste espace de résidence juif et ne soumettent du même coup sa population à des pouvoirs distincts, autrichien, prussien et russe.

A la veille des Lumières et des mouvements d'émancipation, la question de la place des juifs dans la société est posée. Cette société dans laquelle vit la principale concentration juive du monde est elle-même traversée de courants d'idées et de mouvements sociaux contradictoires. Les idées de tolérance et de pluralisme commencent lentement à y faire leur chemin ; elles constituent indéniablement une ouverture et une chance pour les juifs. Mais dans le même temps, la haine antijuive, compagne naturelle des périodes de crise économique et de désordres sociopolitiques, constitue une menace qui ne cessera de se préciser et de se confirmer.

• *La diaspora ashkénaze.* — Le partage de 1795 place la plus grande concentration juive du monde sous contrôle russe. Commence alors une ère de turbulences et de lente dégradation de leurs conditions de vie pour les juifs. Mais il faut attendre la fin du XIXe siècle pourtant pour qu'un fort mouvement d'émigration se dessine. Ce mouvement, qui ne touche qu'une partie du judaïsme polono-russe, la majorité restant sur place, est suffisamment massif toutefois pour établir la prééminence ashkénaze là où les émigrés s'établissent, Amérique, Europe occidentale et centrale, Palestine. A la veille de la Seconde Guerre mondiale, les juifs d'origine ashkénaze représentent près de 90 % du judaïsme mondial.

Cela étant, plus que ces retournements, ce sont leurs conceptions religieuses qui singularisent le mieux les juifs ashkénazes.

• *La singularité ashkénaze.* — C'est dans les communautés ashkénazes que le judaïsme rabbinique connaît son expression la plus achevée, que la codification de la loi religieuse est menée de la façon la plus systématique, que le commentaire talmudique est porté au niveau le plus haut de l'exercice de pure spéculation intellectuelle. Mais, aussi paradoxal que cela puisse paraître, c'est aussi au sein de ce judaïsme austère que naissent les mouvements mystiques juifs les plus fervents, autrement dit la forme d'expression religieuse apparemment la plus éloignée du rigorisme talmudique.

A plusieurs siècles d'intervalle, le judaïsme ashkénaze sera le berceau de deux mouvements mystiques piétistes. Le premier voit le jour au XIe siècle sur les bords du Rhin. L'influence éthique et spirituelle que laisseront derrière eux ses adeptes, les *'hasidei ashkenaz*, imprégneront durablement les mentalités juives. Le second, le *'hassidisme*, naît et se développe plus à l'est dans la seconde moitié du XVIIIe siècle, en Podolie, une région éloignée de Pologne. La vague de ferveur populaire qu'il soulève est à la mesure des divisions et des conflits qu'il provoquera au sein du monde juif ashkénaze.

Le judaïsme occidental naît dans une société chrétienne en gestation qui, par le glaive et le goupillon, cherche à se préserver des influences hétérogènes. Il grandit à une époque, le Moyen Age, où la société européenne se construit tout en cherchant son identité religieuse, politique, économique, culturelle. Immergé dans cette société, le juif doit y trouver sa propre place. Et s'il ne la trouve pas, les autres la trouvent pour lui. Pour donner un cadre aux différentes facettes d'une identité qui se construit dans le jeu complexe du rapport aux choses de la vie profane et à celles du sacré, le juif, sépharade ou ashkénaze, aménage du mieux qu'il peut son environnement et s'invente un nouvel art de vivre. Jusqu'aux émancipations, la communauté juive sera le cadre à l'intérieur duquel il construira les passerelles et les barrières qu'il jugera bon de jeter ou de dresser entre lui et l'extérieur, entre la réalité et ses rêves d'exilé.

IV / Les composantes du judaïsme traditionnel

De façon surprenante, les juifs disparaissent de l'histoire des empires et des nations lorsqu'ils entrent dans la phase proprement historique de leur histoire. Il est vrai que, à partir de cette époque, leur trace est plus difficile à suivre puisque, dispersés, ils ne constituent plus une nation unifiée. Leur existence collective s'organise désormais à l'intérieur de communautés dans lesquelles ils vont s'attacher à développer des modes de vie compatibles avec les usages des pays d'accueil et les exigences de la Torah. En l'absence d'un pouvoir temporel autonome, celle-ci sera l'unique source d'autorité dont ils reconnaîtront la pleine légitimité. Armés de ces deux atouts, la communauté et la Torah, leur principal souci sera de se préserver des deux dangers, aussi redoutables l'un que l'autre pour la préservation de leur existence collective, qui les accompagneront tout au long de leur histoire, à savoir l'hostilité de leur environnement et les perséctions, d'une part, la séduction du monde des gentils et la tentation de l'assimilation, de l'autre.

La communauté juive

Substitut de l'État juif défunt, la communauté juive se compose d'institutions qui encadrent, organisent, régulent l'existence de tous et de chacun. Régie par un code qui puise aux sources de la tradition religieuse, elle sert de refuge face à l'hostilité du monde extérieur, de structure de résistance face à ses séductions.

Les institutions

Monde clos fermé sur lui-même, la communauté juive est un microcosme qui permet au juif de mener une existence intégralement vécue sur le mode juif. Elle assure la coordination et le fonctionnement des institutions dont aucun juif ne saurait se passer : institutions religieuses (synagogue, bain rituel, société des derniers devoirs, cimetière), institutions éducatives (*'heder**, *Talmud-Torah*, *yechivah**, maison d'étude), institutions charitables (confréries, fonds de prêts, hospice), auxquelles viendront s'adjoindre et s'intégrer à l'époque moderne, non sans conflits ni tensions, les institutions calquées sur le modèle de celles de leurs voisins non juifs : partis politiques, syndicats, cercles culturels, mouvements de jeunesse, clubs sportifs.

La communauté existe grâce à ses fonctionnaires laïcs et religieux (rabbins, chantres, prédicateurs, circonciseurs, bedeaux, abatteurs rituels) et aux prestataires de services indispensables à la vie juive : bouchers, marieuses, musiciens, intercesseurs ; aux artisans et commerçants qui confectionnent ou procurent objets et denrées rituels : rouleaux de la Torah, *mezouzot**, *tefilin* (phylactères)*, châles de prière, livres, couvre-chefs traditionnels, bougies, chandeliers, *etrog** et *loulav**, pains azymes, vin *cacher*.

Mais la communauté juive est aussi un monde ouvert sur l'extérieur, un lieu de passage, de circulation et d'échanges. La communauté juive entretient des échanges permanents avec son environnement. Par le commerce et les transactions quotidiennes, à l'occasion des foires et des marchés ; par les contacts de voisinage : la rue ou la maison juives jouxtent la rue ou la maison chrétiennes et la synagogue n'est jamais très éloignée de l'église. Par les échanges intellectuels : lorsque les personnes circulent, les idées circulent aussi, s'échangent et se confrontent les unes aux autres. Les cloisons sociales, ethniques, culturelles, religieuses existent certes, mais elles ne sont jamais tout à fait étanches. Ce qui explique la coloration culturelle propre à chaque communauté.

Certes, ce rapport de force inégal est lourd de risques pour les juifs, mais ils ont aussi beaucoup à y gagner. En observant et en participant à la vie des populations qui les entourent, ils se familiarisent avec leurs mœurs, leurs coutumes, leurs langues, avec leurs façons de se nourrir et de se vêtir en fonction des ressources, des climats, des saisons. Ils apprennent à connaître, à évaluer mais aussi à s'imprégner de leurs croyances, de leurs superstitions et de leurs traditions populaires. Jusqu'aux arts, auxquels il leur est donné de se sensibiliser.

Les échanges permanents et la circulation constante entre le dedans et le dehors qu'exige la vie de tous les jours font de la communauté juive un milieu éminemment perméable et réceptif à ces apports extérieurs. Mais elle ne les reçoit pas passivement. Trop soucieux de se protéger des influences exogènes et de leurs effets dissolvants, les juifs usent de leur espace communautaire comme d'un filtre.

C'est là que s'effectue le tri minutieux entre ce qui est recevable et ce qui ne l'est pas, que sont sélectionnés et « judaïsés » les éléments empruntés aux cultures environnantes. C'est ainsi que la musique juive, la gastronomie juive, les contes populaires juifs, les façons juives de parler, de se vêtir, de se mouvoir dans l'espace, les superstitions et les coutumes juives ont de tout temps emprunté aux pays hôtes.

Ce travail de retraitement n'est rien moins que le banal processus d'acculturation que connaît tout groupe minoritaire immergé dans un environnement étranger et dont le premier souci est de préserver son identité tout en s'intégrant à lui. Ce travail d'ajustement permanent est indispensable. Il permet de trouver et de maintenir l'équilibre nécessaire entre des mondes qui se côtoient et s'interpénètrent sans se mélanger.

Ouverte sur l'extérieur, la communauté juive l'est aussi aux communautés sœurs. Un lien organique tissé de fils multiples les unit les unes aux autres. Les alliances matrimoniales se nouent de communauté à communauté. Les rabbins, prédicateurs et étudiants circulent de l'une à l'autre. Les aller et retour incessants des colporteurs et des marchands renforcent les liens d'affaires.

Au sein d'un monde souvent hostile, la conscience d'appartenir à une grande famille se réactive dans l'adversité. Chaque communauté réserve une part de son budget au paiement d'une éventuelle rançon pour les prisonniers juifs ou pour ceux qui ont été réduits en esclavage.

Monde clos et impénétrable d'un côté, ouvert et réceptif de l'autre, chaque communauté s'insère dans un ensemble plus large. Par-delà la dispersion, chacune se sait reliée aux autres par les multiples fils que tisse ce système-réseau. Ce mode d'organisation ne peut qu'entretenir le sentiment d'extra-territorialité qui habite alors tout juif.

Comment le juif vit-il à l'intérieur de sa communauté ?

Le temps

Il vit au rythme d'une double temporalité. Son rapport au monde des gentils est rythmé par le clocher de l'église en terre chrétienne ou l'appel du muezzin en terre d'islam, par le calendrier des fêtes chrétiennes ou musulmanes. Le juif sait, par exemple, qu'il doit éviter de sortir les jours de prêche ou lorsque les chrétiens revivent la Passion du Christ car il n'est pas rare que la ferveur religieuse des fidèles fraîchement réactivée s'éprouve au sortir de l'église. L'expérience lui a appris que, quand ce n'est pas au sortir de la taverne, le pogrom suit souvent la messe.

Le calendrier juif

Composé de douze mois de 29-30 jours (tishri, 'hechvan, kislev, tevet, chevat, adar — adar II —, nissan, iyar, sivan, tamouz, av, eloul), l'année juive comporte 354 jours. Pour combler l'écart qui sépare ce calendrier lunaire de l'année solaire de 365 jours et le faire correspondre au cycle des saisons, un treizième mois de 29 jours est ajouté, à raison de sept fois dans un cycle lunaire de dix-neuf ans.

Les fêtes du calendrier juif

Rosh hashanah / Nouvel An	1er tishri	septembre
Yom Kippour / Grand Pardon	10 tishri	septembre
Souccot / fête des Cabanes (pèlerinage — séjour dans le désert)	15 tishri	septembre-octobre
Hoshana Rabba / 7e jour de Souccot	21 tishri	septembre-octobre
Simhat-Torah, fête de la Torah (fin et reprise du cycle de lecture hebdomadaire de la Torah)	22 tishri	septembre-octobre
Hanouccah / inauguration du Temple (victoire des Maccabées)	25 kislev	décembre
Tou Bishvat / Nouvel An des arbres	15 shevat	janvier
Pourim / fête des Sorts (lecture du livre d'Esther)	14 adar	février-mars
Pessa'h / Pâque (pèlerinage — sortie d'Égypte)	15-21 nissan	mars-avril
Shavouot / Pentecôte (pèlerinage — don de la Torah)	6 sivan	mai-juin
Tisha-Beav / destruction du Temple (jeûne)	9 av	juillet-août

Deux célébrations solennelles commémorant des événements de l'histoire juive contemporaine ont été ajoutées :

Yom haShoah / jour du génocide	27 nissan	avril
Yom Haatsmaout / jour de l'indépendance d'Israël	5 iyar	avril-mai

Les fêtes juives commencent la veille au soir des jours indiqués et s'achèvent à la tombée de la nuit suivante.

A l'époque biblique, les fêtes de pèlerinage, qui étaient liées au cycle des saisons, rythmaient l'activité agricole. Plus tard, elles ont pris une signification historique. Souccot, la fête des vendanges, rappelle la période où les Hébreux vécurent dans le désert sous des cabanes ; Pessa'h, qui célèbre le début du printemps et la moisson de l'orge, commémore l'Exode ; Shavouot, la fête des prémices, rappelle le don de la Torah au Sinaï. Hanouccah, Pourim, Tisha-Beav rappellent des faits historiques. Rosh-hashanah, Kippour, Hoshana Rabba, Simhat-Torah sont des fêtes religieuses.

Mais le juif vit surtout au rythme de sa temporalité propre, celle du cycle des trois prières quotidiennes pour les plus pratiquants et de l'alternance entre les six jours de la semaine et le chabbat, jour où toute activité profane est suspendue, pour l'ensemble de la communauté. Agnostique ou croyant, tout juif est tenu à l'impératif du chabbat, l'équivalent du dimanche des chrétiens. Il vit au rythme de son calendrier liturgique dont les dates scandent son année, au rythme enfin des étapes de la vie qui l'accompagnent rituellement du berceau au linceul.

Les étapes de la vie : les rites de passage

Comme toute culture, le judaïsme ritualise les étapes de la vie.

La *circoncision (brit-milah)* : sauf contre-indication médicale, elle se pratique au huitième jour de la naissance. Elle consiste en l'ablation du prépuce et rappelle l'Alliance avec Abraham. Elle est exigée de tout homme qui se convertit au judaïsme.

Le rachat du premier-né (pidyon haben) : se pratique au premier mois après la naissance de tout premier-né mâle pour rappeler que les premiers-nés sont consacrés à Dieu.

La bar-mitsvah : marque la majorité religieuse. Parvenu à l'âge de treize ans, le garçon juif est invité pour la première fois à mettre les *tefilin** et est appelé à la lecture publique de la Torah. Considéré comme religieusement responsable, il est compté dans le quorum de dix hommes (*minyan**) et soumis à l'obligation d'observer les prescriptions religieuses (*mitsvot**). Certaines communautés ont introduit un rite parallèle destiné aux filles (*bat mitsvah*) dans le but d'établir une égalité entre les sexes, laquelle n'existe pas dans la conception traditionnelle.

Le mariage (*qidouchin* et *nissouïn*) : il comporte plusieurs étapes : bain rituel (*mikveh*), signature du contrat de mariage (*ketoubah*), bénédictions sous le dais nuptial (*'houppah*), bris d'un verre en souvenir de la destruction du Temple.

Les *funérailles* enfin, où le juif est porté en terre enveloppé dans un linceul de lin blanc après une toilette rituelle.

Ces rituels de base comportent des variantes selon les usages locaux et le degré d'orthodoxie des intéressés.

La famille

Si la communauté est le cadre à l'intérieur duquel la vie du groupe s'organise, la famille en est l'unité de base, la Bible enjoignant de fonder un foyer et d'avoir des enfants.

Bible et Talmud définissent les rôles impartis à chacun des membres de la famille selon une conception patriarcale que légalise un dispositif juridico-religieux faisant de la femme un être dépendant, notamment en matière de droit personnel (mariage et divorce). L'inégalité de statut apparaît dans la répartition des tâches et des responsabilités. L'homme s'engage, en tant qu'époux et par contrat, à assurer nourriture, gîte, parure et plaisir à son épouse ; en tant que père, il s'engage à faire circoncire ses fils, à leur enseigner la Torah, à les marier, à leur donner un métier et à prévoir une dot pour ses filles.

La place de la femme

A la femme, épouse et mère, reviennent les responsabilités domestiques et l'éducation des filles. Reine dans son foyer, elle n'a en revanche pas sa place aux postes de responsabilités communautaires ni de participation active à la vie religieuse, la prière publique et l'étude de la Torah étant des activités strictement réservées aux hommes. Cependant, le rôle effectif de la femme dans la société juive est plus décisif que ces dispositions de principe ne le laissent supposer.

Il faut savoir en effet que l'apprentissage du judaïsme commence avec celui des gestes de la vie de tous les jours. Être juif, c'est d'abord participer d'un mode de vie, d'une vision, d'une conception du monde qui s'acquièrent en famille dès le berceau. Or, si c'est à la femme qu'il revient de faire de son foyer un foyer juif, c'est également à elle qu'il incombe de faire de ses enfants des enfants juifs. A la différence de l'homme juif dont la piété se mesure à l'aune de l'érudition, celle de la femme juive s'éprouve dans un savoir-faire pratique et éthique. Cette forme de piété est aussi essentielle à la préservation du judaïsme que l'autre.

Dans leur ensemble, les femmes juives ont assumé ce rôle de prêtresses du foyer. Mais elles se sont rarement contentées de n'être que cela et n'ont pas attendu la modernité ni leur émancipation pour s'affairer hors de leurs foyers. Accaparées par leurs tâches mais moins requises que les hommes par les obligations religieuses, elles se sont aussi trouvées plus disponibles qu'eux pour s'intéresser à d'autres choses. De fait, leur exclusion de la sphère religieuse leur a ouvert d'autres portes en leur permettant de s'investir dans d'autres activités. Alors que garçons et jeunes gens recevaient encore l'enseignement religieux de leurs écoles traditionnelles, fillettes et jeunes filles profitaient déjà des progrès de la scolarisation dans des écoles ouvertes aux réalités de la vie profane.

Les règles de la *cacherout*

La *cacherout* concerne essentiellement les lois alimentaires. Elle fait la distinction entre aliments purs autorisés à la consommation, c'est-à-dire *cacher*, et aliments impurs et interdits. Elle énonce les conditions auxquelles les aliments autorisés doivent satisfaire pour être consommables. Ces prescriptions, que la loi rabbinique a développées et étendues, trouvent leur origine dans la Bible.

Sont interdits : la consommation de parties d'un animal vivant, certains oiseaux, les insectes, le sang, les produits d'animaux interdits (œufs ou lait), la seule exception étant le miel, qui est autorisé.

Sont autorisés : les quadrupèdes ruminants ayant le pied onglé dont l'ongle est fendu en deux (bovidés et cervidés), les animaux aquatiques qui ont au moins une nageoire et une écaille qui s'ôte facilement. Ceux qui ne satisfont qu'une de ces conditions, comme le porc (dont l'ongle est fendu mais qui n'est pas ruminant) ou le chameau (ruminant mais dont l'ongle n'est pas fendu), sont interdits.

L'abattage (*che'hitah*) doit se faire à l'aide d'un couteau parfaitement aiguisé afin de provoquer la mort instantanée de l'animal ; après quoi on doit laisser l'animal se vider le plus possible de son sang. L'abatteur (*cho'het*) doit ensuite vérifier que l'animal abattu ne présente ni maladie ni lésion interne. Faute de quoi, il est déclaré impropre à la consommation. Afin que le maximum de sang restant soit évacué, la viande doit être « cachérisée » par salage (la viande est recouverte de sel après un séjour dans de l'eau froide puis rincée à l'eau courante) ou rôtissage (passée à la flamme). Le nerf sciatique et la graisse attachée à l'estomac et aux intestins sont interdits à la consommation.

Le mélange lait/viande est interdit. D'origine biblique : « Tu ne feras pas cuire un chevreau dans le lait de sa mère » (Exode 23, 19 ; 34, 26 ; Deutéronome 14, 21), cet interdit s'étend à l'ensemble des produits carnés (au nombre desquels a été ajoutée la volaille). Produits carnés et lactés doivent être préparés et consommés dans des vaisselles séparées. Après avoir consommé de la viande, un laps de temps doit s'être écoulé avant qu'il soit permis de consommer des laitages, mais il est permis de consommer de la viande après avoir mangé les produits laitiers.

Statut et organisation

Jusqu'aux émancipations, les communautés juives bénéficient d'un statut de relative autonomie interne. Pour autant que leur mode de gouvernement interne ne contrevient pas aux lois du pays ni au bon fonctionnement de la société et qu'ils s'acquittent de leur impôt, les pouvoirs centraux laissent aux juifs le soin de gérer leurs affaires, tout en se réservant un droit de regard.

En principe et à quelques variantes près, la direction communautaire est bicéphale, partagée entre une autorité civile (exilarque à Babylone, *parnas* ou chef de communauté ailleurs) et une autorité religieuse (*gaon*, grand rabbin). En Pologne-Lituanie, où les grandes communautés exercent leur autorité sur les bourgades juives dépourvues de structures communautaires propres, une direction centralisée réunissant les responsables des principales communautés, le « Conseil des quatre pays » (*vaad arba aratsot*), fait office de parlement juif.

Les dirigeants laïques sont élus pour une durée déterminée parmi les notables tandis que les responsables religieux, rabbins et grands rabbins, sont engagés aux termes d'un contrat à durée déterminée et appointés.

Le président de communauté exerce sa fonction à titre bénévole. Il est le représentant officiel des juifs auprès des autorités du pays et siège à la tête d'un conseil communautaire qui supervise et administre les institutions placées sous sa responsabilité. Ce conseil a autorité sur la répartition et la collecte de l'impôt. Un règlement communautaire édicté par le conseil fixe les conditions de fonctionnement des institutions et des activités civiles et religieuses. Son autorité s'étend aux domaines les plus divers. Outre les questions relatives à la vie religieuse, ils concernent la réglementation du commerce, les taux de prêts consentis aux gentils, la répartition des fonds communautaires, les conditions d'accueil des juifs étrangers, la fixation des limites de quartiers (*erouv**), les règles d'hygiène public, le contrôle de la morale publique et privée, l'état des mœurs.

Quant au rabbin, son autorité repose sur sa connaissance des textes et sa capacité à enseigner et à faire appliquer la Torah. Il dit le droit selon la loi religieuse, guide et conseille les personnes, supervise les activités religieuses d'intérêt collectif (abattage rituel, bain rituel, éducation primaire). Dans les communautés ashkénazes, le rabbin en titre cumule souvent ces fonctions avec celle de directeur de *yechivah**. Un tribunal rabbinique arbitre les conflits, y compris les litiges civils. Les associations et les confréries remplissent des fonctions sociales et cultuelles. L'impôt interne et les notables assurent le financement et l'entretien des institutions centrales (synagogue-maison d'étude, bain rituel, Talmud-Torah, *yechivah*) et la rémunération des personnels communautaires (rabbins, chantres, bedeaux, enseignants, prêcheurs itinérants).

Ce système oligarchique, qui donne l'essentiel du pouvoir aux notables, s'exerce sur un mode autoritaire, son plus redoutable moyen de coercition étant, outre la pression sociale, le *'herem*, la menace de bannissement ou d'excommunication.

Cette pression communautaire sur les personnes constituera une source de tensions permanente entre riches et pauvres, rabbins révocables et notables oligarches, petites et grandes communautés, traditionalistes et non-conformistes. Certes, l'objectif de ce système autoritaire et rigide vise avant tout à assurer la cohésion interne. Mais la conséquence la plus dommageable d'un tel système est qu'il entretient les inégalités sociales et exacerbe les frustrations individuelles. Jusqu'à ce que de véritables alternatives s'offrent aux juifs, la seule échappée qui leur reste est l'évasion par la voie de l'utopie. Aussi longtemps que l'action politique leur reste fermée, c'est dans l'imaginaire religieux, le messianisme et la spéculation mystique que cette utopie trouvera son expression la plus naturelle.

Si le pouvoir temporel est entre les mains d'une oligarchie de notables, l'instance ultime de légitimité est bien celle de la Torah. Avant que la sécularisation ne fasse sentir ses effets dissolvants, les principes qui régissent la vie communautaire restent et demeurent ceux de la loi religieuse.

L'autorité religieuse : la Torah, code de bonne conduite

Peuple du Livre, les juifs ont de tout temps fixé les modalités de leur rapport au monde à partir d'un texte révélé : la Torah. C'est autour et à partir d'elle que le judaïsme se constitue et devient tradition en se transmettant de génération en génération. Pour autant, la conviction intime qui habite le juif et qui est au fondement de l'autorité de sa tradition ne s'embarrasse ni de dogmes ni de théologie. La question de Dieu, de son existence ou de son essence, est implicitement supposée résolue. C'est pourquoi la réflexion théologique n'occupe qu'une place marginale dans le débat talmudique et c'est pourquoi les spéculations sur le divin sont réservées aux philosophes ou aux « virtuoses de la foi » que sont les maîtres de la cabbale.

Pour le juif qui n'est ni talmudiste, ni philosophe, ni cabbaliste, mais simplement juif, la foi se traduit moins par un credo que par des gestes et des manières de faire. La foi juive est une foi en acte. Autrement dit, être juif est plus affaire d'*orthopraxie* qu'affaire d'*orthodoxie*.

Cependant, la Torah est supposée embrasser et la foi et l'action guidée par la foi. Elle est supposée avoir réponse à tout, aux

Les croyances juives

Si le judaïsme ne s'embarrasse pas de dogmes ni de doctrines, les juifs n'en ont pas moins des croyances. Les questions qu'ils se posent sur la vie et la mort, les sorts respectifs de l'âme et du corps après la mort, l'enfer et le paradis, le bien et le mal, trouvent, pour la plupart (mais pas toutes), des réponses dans la Bible et les traditions postérieures.

Pour la Bible et la tradition juive, la mort est à la fois une réalité biologique et le résultat du péché (Genèse 3, 22-23). C'est pourquoi elle est acceptée, sans être recherchée. En vertu de l'injonction biblique : « Tu choisiras la vie » (Deutéronome 30, 19), le martyre, le suicide, le culte des morts sont refusés. En revanche, tout doit être tenté pour sauver ou prolonger la vie.

Après la mort, les humains sont supposés se rendre dans le Chéol, le séjour des morts, encore que cette notion reste assez floue. Mais la croyance la plus répandue veut que le corps du défunt retourne à la poussière (Genèse 3, 19) et l'âme à sa source originelle, le Créateur. En raison de la priorité absolue donnée à la vie, les rituels funéraires sont d'une grande simplicité, généralement pris en charge par des bénévoles (toilette rituelle, prières et veille). Après avoir été lavé rituellement et enveloppé d'un linceul, le cadavre est porté en terre, dès que possible après le constat du décès. Quant aux endeuillés, ils observent un deuil de sept jours, entourés et consolés par leurs proches.

La croyance en la vie éternelle, en l'immortalité de l'âme et en la résurrection des morts est généralement admise, encore que les rabbins soient très partagés en ce qui concerne leurs modalités : résurrection du corps et de l'âme ou seulement de l'âme ? Vie éternelle et résurrection pour tous ou promises aux seuls justes ? Dogme pour certains, comme Maïmonide, ou simple croyance, la foi en la résurrection n'en est pas moins réaffirmée quotidiennement dans la prière.

Le diable a sa place dans les croyances juives en la personne de Satan. Contre-pouvoir à la toute-puissance divine (dualisme) ou simple subalterne faisant partie du projet divin, là encore les croyances ne sont pas fixées une fois pour toutes et les textes observent une extrême discrétion en ce domaine.

Le jardin d'Éden que décrit la Genèse est la préfiguration du paradis tel que le conçoit le judaïsme. Il représente la perfection à laquelle l'homme aspire. Jardin céleste planté d'arbres merveilleux et odorants, traversé de fleuves de lait, de vin et de miel, Dieu y enseigne la Torah aux justes, entouré d'anges qui chantent ses louanges.

Mais plus que sur les croyances concernant le sort des individus, le judaïsme met l'accent sur celles qui concernent Israël et le peuple juif tout entier. C'est chez les prophètes, dans l'eschatologie et l'apocalyptique que les croyances en ce domaine trouvent matière à s'alimenter et à s'exprimer : retour des exilés, ère messianique (fin des persécutions pour les juifs, ère de sérénité et de paix pour une humanité réconciliée avec elle-même et le règne animal), jour du Jugement (châtiment des méchants et triomphe des justes), bataille des Fils de la Lumière contre les Fils des Ténèbres (devant déboucher sur le triomphe des bons et l'avènement de l'ère messianique), etc.

La question du Bien et du Mal, enfin, se trouve au cœur des interrogations et des croyances des juifs. Elle rejoint d'une certaine manière les questions que pose la croyance en Satan, la figure emblématique du Mal. La question du Mal est particulièrement délicate dans la mesure où elle se heurte à la croyance en la toute-puissance d'un Dieu que le judaïsme identifie au Bien. Si la Bible affirme à de multiples reprises (Lamentations, Ecclésiaste, Job, etc.) que le Mal est inhérent au projet divin, les sages de la tradition, comme les prophètes, n'en éprouvent pas moins des difficultés à expliquer et à justifier la souffrance des justes et la réussite des méchants (Jérémie, 12, 1). Différentes explications ont été proposées par les penseurs du Moyen Age influencés par la philosophie ou par ceux qui ont emprunté les voies de l'interprétation mystique. Les uns comme les autres ont tenté de faire la part entre la responsabilité humaine et celle de Dieu dans l'existence et la persistance du Mal.

Les juifs en sont venus à considérer le Mal comme une épreuve et un défi lancés à l'homme par Dieu lui-même, pour l'inciter à combattre à la fois le Mal qui est en lui (ses pulsions, ses mauvaises pensées, son mauvais penchant) et celui qui règne dans le monde (injustice, misère, guerres, épidémies) et l'amener à une plus haute élévation morale.

Le Mal absolu a fait irruption au cœur du XXe siècle avec le génocide. Pour les juifs comme pour la conscience occidentale moderne, le génocide a ébranlé les certitudes et les croyances antérieures. Avec lui se trouve posée une fois encore la question du Bien et du Mal, inséparable de celle de la responsabilité. En l'absence de dogme et de consensus théologique, chaque juif est libre d'en imputer, en son âme et conscience, la responsabilité à l'homme ou à Dieu.

---

questions relatives à la foi, foi en l'homme ou en Dieu, comme aux questions relatives à l'action, action tournée vers le prochain ou vers Dieu. Qui plus est, de par son caractère révélé, la Torah est en elle-même objet de foi, de foi en l'esprit qui est supposé l'inspirer, l'imprégner, l'animer. Pourtant, elle est moins un objet de foi spéculative qu'un guide pratique pour la vie de tous les jours. De fait, la Torah propose un mode de vie composé d'un ensemble de normes, de valeurs, de modèles d'action, d'attitudes et de comportements que le juif doit s'appliquer à mettre en œuvre au quotidien. La Loi est le mode d'emploi qui doit lui permettre d'y parvenir.

Outre la prière qui a remplacé le culte et dont les rythmes scandent l'existence du juif, les canaux par lesquels s'opère la mise en œuvre de la Torah-mode de vie et de la Loi-mode d'emploi sont l'observance et l'étude.

Le rite et la pratique

C'est ici que le fameux ritualisme juif, si souvent et si violemment dénoncé, prend sa pleine signification. Le pointillisme extrême que le juif manifeste dans la mise en œuvre du commandement divin, sa vigilance méticuleuse quant à la précision de son exécution ne sont jamais qu'un croire en acte, qu'une des multiples façons dont le juif dispose pour exprimer non seulement sa foi, sa fidélité et son appartenance, mais aussi son inquiétude quant au sort du monde, sa volonté de contribuer à l'harmonie de l'univers et de lui donner sens.

Lorsqu'il s'interroge sur la signification des gestes qu'il effectue, le juif pratiquant se persuade que la destinée de l'univers dépend de l'observance scrupuleuse des commandements divins. Toute déviance rituelle, tout écart par rapport à la Loi, est perçu non seulement comme une faute grave, mais comme une menace pour soi, pour le groupe et l'univers compris dans son ensemble. Ce qui, dans la vision totalisante qui est ici à l'œuvre, revient au même ; le conformisme religieux, c'est-à-dire l'observance des commandements par chacun et par tous, est un garant de cohésion sociale dont dépendent pour une bonne part la perpétuation et la survie du groupe. Or, du fait de son élection, ce groupe, le peuple juif, se sait investi d'une responsabilité de portée eschatologique, porteur d'un message révélé dont l'interprétation et la mise en œuvre sont décisives pour le devenir du monde.

En quoi consistent les commandements prescrits par le judaïsme ?

Leur origine se trouve dans la Torah. Les rabbins y ont dénombré 613 commandements ou *mitsvot* — 248 positifs et 365 négatifs —, à partir desquels ils ont élaboré un ensemble substantiel de principes et de lois qui en précisent les modalités d'exécution et en définissent les champs d'application. Le tout constitue la partie prescriptive de la tradition, la *halakhah**. Elle couvre tous les domaines de la vie individuelle et collective, privée et publique, religieuse et civile. Elle régule et encadre l'existence du juif en toutes circonstances.

L'étude

Ainsi, le champ d'emprise de la Loi religieuse est coextensif à l'ensemble des secteurs de l'activité humaine. En ce sens, le judaïsme traditionnel se présente comme un mode de vie intégral où le religieux se confond avec le reste et n'a pas de frontières localisables. Avant d'être un état de fait, il est une aspiration. La norme idéale qu'il propose et à laquelle tout juif est censé aspirer étant celle d'une vie intégralement vécue sur le mode juif.

Mais pour être au plus près de cet idéal et être en mesure d'appliquer la Loi aussi fidèlement que possible, encore faut-il la connaître. Il faut donc l'étudier, sans cesse ni relâche, savoir en débusquer les pièges, en maîtriser les principes. D'où l'importance de l'étude.

Dès les périodes biblique et talmudique, l'étude de la Torah apparaît comme une activité de première importance. Elle relève de la responsabilité des autorités religieuses et des parents. Étude et enseignement font partie des obligations religieuses prescrites par les textes eux-mêmes.

Dans la communauté traditionnelle, le premier contact avec la Torah a lieu dès le plus jeune âge. Commencée à l'école, la fréquentation assidue des textes, Bible, Talmud et autres commentaires, ne connaît théoriquement pas de limite dans le temps. Certains la prolongent toute leur vie. L'acquisition des connaissances suit des étapes précises fixées par l'usage. L'école primaire accueille des enfants de cinq à treize ans et comprend trois sections. Les jeunes commencent par l'apprentissage de l'alphabet hébraïque, puis par celui de la lecture et de la récitation des prières ; les élèves de la section intermédiaire étudient le Pentateuque avec son commentaire de Rachi et ce n'est qu'en dernière section que les plus âgés peuvent enfin entreprendre l'étude de la *michnah*. Ceux qui en ont la possibilité et qui désirent poursuivre leurs études au-delà de l'âge de la *bar-mitsvah* vont à la *yechivah**.

Mais l'étude à plein temps ne peut se prolonger indéfiniment pour tous. Ceux qui le désirent peuvent poursuivre dans le cadre de la maison d'étude, en calant les moments dévolus à l'étude dans les interstices de leur emploi du temps, avant ou après le travail, pendant le chabbat ou les jours fériés. Le plus souvent, la maison d'étude jouxte ou est intégrée à la synagogue, quand elle ne fait pas elle-même office d'oratoire, ce qui permet à ceux qui viennent y passer un moment pour étudier de prier sur place. Ouverte en permanence, ils peuvent y étudier une « page de Torah » à toute heure du jour ou de la nuit, seuls ou à plusieurs.

L'étude traditionnelle de la Torah est soumise à des règles d'interprétation, c'est-à-dire à des principes herméneutiques et exégétiques complexes, qui ont été développées dès l'époque du second Temple et durant toute la période d'élaboration du Talmud. Le nombre de ces règles a varié d'une époque, d'un maître, d'une école à l'autre, passant de sept (école de Hillel) à treize (Ishmaël) puis à trente-deux. Du commentaire biblique ont été dégagés différents niveaux d'interprétation : sens littéral (*pchat*), allusif ou allégorique (*remez*), homilétique-légendaire (*drach*), ésotérique (*sod*). L'acronyme *PaRDèS*, formé à partir des initiales des mots qui désignent ces quatre niveaux, se traduit par « verger ». Il désigne le verger de la connaissance.

Pour en dégager tout le potentiel de signification, les commentateurs de la Bible se sont essayés à toutes sortes d'approches : codifications de la Loi (recueils de *halakhot*, *michneh torah* de Maïmonide, *Choul'han aroukh* de Joseph Caro, *mappah* de Moïse Isserlès), approches narratives, légendaires, homilétiques (*aggadah, midrach*), éthiques (*avot, mousar*), lexicales, grammaticales ; commentaires philosophiques à caractère rationaliste (Saadia Gaon, Maïmonide), apologétique (Judah Halévi), mystique (Na'hmanide) ; lectures ésotériques [*hekhalot* (palais divins), *Merkaba* (mystique du char divin tiré d'Ézéchiel), cabbale].

Il est impossible d'établir un classement à l'intérieur de l'immense corpus que constitue la somme de ces textes, de dire lequel d'entre eux a exercé le plus d'influence sur la pensée religieuse. Beaucoup sont l'œuvre d'anonymes ou le fruit de la réflexion collective de maîtres dont les noms sont passés à la postérité. C'est le cas du Talmud et de l'abondante littérature de commentaires qui l'accompagne. D'autres sont apocryphes, c'est-à-dire attribués fictivement à de grands maîtres de la tradition, mythiques ou réels. C'est le cas du *zohar*, dont il sera question plus loin. D'autres enfin sont l'œuvre d'auteurs de stature exceptionnelle. Les noms de deux maîtres se dégagent néanmoins de cet ensemble : celui de Maïmonide, que nous retrouverons dans quelques pages, et celui de Rachi.

Rachi

Parmi les commentateurs de la Bible, rabbi Salomon ben Isaac de Troyes, dit Rachi (1040-1105), figure sans doute parmi les plus grands. Son commentaire linéaire du texte est enseigné dès le plus jeune âge. On le trouve au bas des pages de presque toutes les bibles imprimées en hébreu. Il a le mérite d'être à la fois simple, érudit, accessible à tous, quoique parfois elliptique à force de concision. Il jouit jusqu'à ce jour d'une autorité incontestée et demeure une référence incontournable. Son usage de vocables empruntés à la langue parlée de son époque, le vieux français, a fait de lui une source également appréciée des linguistes et autres spécialistes du Moyen Age. En effet, les mots et expressions que Rachi emploie pour décrire la vie quotidienne des villages et des campagnes sont précieux, notamment pour la connaissance des technologies de l'époque, car, étant vigneron de son état, il a beaucoup emprunté, pour illustrer sa pensée par des exemples, à son expérience de la vie agricole.

Cette revue n'offre qu'un bref survol des approches dont la Torah fait l'objet. On peut affirmer, sans risque de se voir taxer d'une intention par trop apologétique, que chaque génération a vu naître des hommes versés dans l'étude des textes. Certes, tous n'ont pas atteint les sommets de la renommée, mais tous ont participé par leur contribution, aussi modeste fût-elle, à cette tradition, démocratique avant l'heure, du débat talmudique où la décision qui l'emporte est obtenue à la majorité. Ajoutons que cette longue chaîne de la transmission savante à laquelle le judaïsme doit sa pérennité n'est pas rompue. Aujourd'hui encore, talmudistes et décisionnaires perpétuent cette tradition d'interprétation de la Loi et du texte. Ils scrutent les écrits des maîtres anciens dans l'espoir d'y trouver les réponses appropriées aux questions de toujours comme à celles propres à l'époque présente.

L'injonction d'étudier la Torah est présente dans la Bible et reprise dans la prière quotidienne. Plus qu'une activité intellectuelle visant à accroître le savoir ou à stimuler l'intelligence, l'étude est, au même titre que l'observance du rite et de la pratique, « un croire » en acte, un gage de fidélité, un témoignage de mémoire, une façon de s'inscrire dans une filiation intellectuelle, spirituelle, existentielle. L'étude et la pratique sont supposées abolir l'oppression concrète du temps et de l'espace en les sublimant et en les transposant au registre d'un ailleurs eschatologique : le temps de la pratique et de l'étude se mesure à l'aune de la seule unité qui fasse sens dans la dispersion, celle de la durée qui sépare l'exil du temps du retour (l'avènement des temps messianiques, la rédemption). Quant à l'espace de la pratique et de l'étude, il se mesure à l'aune de la distance spirituelle qui sépare le juif de Sion et de Jérusalem.

Faute de ce détour à la recherche de la spiritualité qui sous-tend cet univers de gestes, comment comprendre la persévérance des juifs de diaspora à vivre encore et toujours au rythme des fêtes de pèlerinages à Jérusalem, comment comprendre la persistance de leur besoin de connaître et d'étudier, avec la même minutie que s'ils avaient à les accomplir eux-mêmes, des gestes et des pratiques tombés en désuétude depuis la destruction du Temple ? Outre la conscience aiguë de leur appartenance à une « lignée croyante » et l'exigence de continuité que cela implique, le seul argument raisonnable qui puisse rendre compte de cet entêtement dans la fidélité semble bien être cette tension permanente sciemment entretenue par la tradition juive entre la mémoire de l'Alliance, d'une part, et l'attente de la réalisation de la Promesse, de l'autre.

Les courants du judaïsme traditionnel

Si le judaïsme doit sa pérennité à la force d'emprise de sa tradition, il la doit aussi à la diversité de ses courants de pensée. Mais à ceux-ci il doit aussi d'avoir été traversé de polémiques et de conflits d'une violence inouïe.

Dans cette section, nous nous intéresserons principalement aux courants philosophiques et mystiques (nous évoquerons brièvement les courants marginaux). Tout autant que le judaïsme rabbinique, ces courants ont incité les juifs à demeurer fidèles à leur héritage religieux, mais en les invitant à s'ouvrir à d'autres formes de pensée.

Les courants philosophiques

Si la grande époque de la philosophie juive est le Moyen Age, Philon d'Alexandrie est pourtant bien le premier philosophe juif connu. C'est lui qui, dès le Ier siècle, réalise la synthèse entre la pensée juive et la philosophie platonicienne.

La philosophie juive naît de la rencontre entre la Bible et les pensées grecque et arabe, de la rencontre entre la Révélation biblique et la raison des philosophes et de la tentative de les accorder les unes aux autres. D'où son caractère éminemment théologique. Les questions qui sont au centre de ses préoccupations sont celles de la nature du divin (comment concilier l'unicité de Dieu et les attributs que lui reconnaît la Bible ? Comment interpréter les anthropomorphismes de certains textes de la tradition ?) ; celle de la création (comment concilier les lois de la physique aristotélicienne avec la conception religieuse d'une création *ex nihilo* ?) ; celle de la providence et des miracles, de la prophétie, de la condition de l'homme. Mais la philosophie juive s'interroge aussi sur le rapport foi/raison. De ces deux voies qui mènent l'une et l'autre à Dieu et aux vérités suprêmes, laquelle choisir ou comment les concilier ?

Nous avons vu que les rabbins ont pour souci majeur de constituer un front sans failles face aux influences étrangères, en l'occurrence face à la Grèce et à Rome. Aussi l'émergence d'une réflexion philosophique juive ne devient-elle possible que lorsque des intellectuels juifs issus de ces mêmes milieux commencent à considérer ces formes de pensée non plus comme des menaces pour leur propre réflexion, mais comme des sources d'enrichissement, des outils de pensée utiles. Ce changement de posture épistémologique sera décisif.

Dans le chapitre précédent, nous avons pu voir comment et pourquoi, au lendemain de la défaite de 70, les dirigeants juifs s'étaient donné pour première tâche d'ériger des barrières, symboliques et matérielles, entre eux et le monde extérieur. Le combat contre l'hellénisme, puis contre le karaïsme (cf. *infra*, p. 60), enfin l'organisation de la résistance contre l'influence grandissante d'une religion nouvelle, le christianisme, apparaissaient alors comme des priorités. D'où la nécessité de verrouiller le système de pensée et le dispositif d'encadrement socioculturel en les articulant solidement l'un à l'autre. D'où la nécessité ressentie par d'autres de faire appel à cet art nouveau, la philosophie, dont ils ne pouvaient que reconnaître l'efficacité redoutable face à une pensée herméneutique enfermée dans sa seule logique interne. La philosophie leur serait d'un appoint précieux dans cette confrontation ouverte.

Nous illustrerons quelques-uns des enjeux intellectuels et religieux en cause à partir de trois exemples : Saadia Gaon, Juda Halévi et Maïmonide.

• *Saadia Gaon* (882-942) est reconnu comme une des autorités les plus éminentes de l'époque du gaonat babylonien. Face à la montée du karaïsme, priorité est donnée par lui à la défense du judaïsme rabbinique. Pour ce faire, il procède à une analyse rationnelle de ses principes fondamentaux à partir d'une conception de la raison inspirée du *kalam* et de l'aristotélisme. Dans son œuvre maîtresse, *Le Livre des croyances et des opinions (Sefer Deot veEmounot)*, il affirme l'origine divine de la raison et développe l'idée que celle-ci est porteuse des mêmes vérités que la révélation. Il lui reconnaît par conséquent le droit et le devoir de scruter les domaines relevant de la foi.

• *Juda Halévi* (1075-1141) est à la fois poète et philosophe. En plus des huit cents poèmes qu'on lui connaît, il est l'auteur du *Kouzari*, un traité philosophique qui se présente sous la forme d'un dialogue entre un roi Khazar (d'où le titre de l'ouvrage) à la recherche de la vraie religion et un savant juif, à l'issue duquel le roi, convaincu par le juif, se convertit au judaïsme. Le *Kouzari*, et plus largement l'ensemble de l'œuvre de Juda Halévi, se présente comme une apologie du judaïsme où la supériorité du judaïsme sur les autres religions et la prééminence de la terre d'Israël comme lieu de la parole divine se trouvent réaffirmées. Mais Juda Halévi veut aussi démontrer les limites de la philosophie et de la raison en plaçant la prophétie au rang le plus haut de la faculté imaginative de l'homme. Pour lui, seules la foi et la loi religieuses peuvent aider l'homme à survivre et sont à même de le satisfaire dans sa recherche de Dieu. Nous avons donc affaire ici à une approche critique de la philosophie.

• *Maïmonide ou RaMBaM* (acronyme de rabbi Moïse ben Maïmon) (1138-1204) mérite une mention à part. Hormis ses écrits de médecine et ses *responsa*, son œuvre comporte deux pièces maîtresses. L'une, *Michneh torah*, s'adresse au grand public. C'est un ouvrage de codification des lois juives. Le second, *Le Guide des égarés*, s'adresse à un public plus restreint.

Maïmonide y développe l'idée que les hommes ne disposent pas tous des mêmes aptitudes, qu'ils ne sont pas tous en mesure d'atteindre la vérité et que les vérités qui sont susceptibles de fragiliser la foi doivent être dissimulées aux hommes du commun, réservées à une élite préparée à les recevoir par l'exercice prolongé de leurs facultés d'entendement et de déduction.

Dans ce traité qui réconcilie philosophie aristotélicienne et exégèse traditionnelle, Maïmonide illustre sa thèse de la nécessité d'une double interprétation de la loi, l'une exotérique destinée à tous et l'autre ésotérique, destinée aux seuls initiés. Il affirme que la Loi et le texte révélé comportent eux-mêmes un double sens : un sens caché réservé à l'élite et un sens explicite qui s'adresse à tous et qui présente les vérités cachées sous une forme allégorique propre à frapper l'imagination.

Soucieux d'éloigner tout risque de dérive, Maïmonide soutient, conformément au judaïsme le plus orthodoxe, la conception de la non-corporéité de Dieu et ouvre son traité sur une réflexion à propos des anthropomorphismes concernant Dieu et ses actions. Il insiste sur le fait que ces images sont nécessaires pour frapper l'imagination, mais qu'elles ne sont que des métaphores qui ne prétendent pas rendre compte de ce qu'est véritablement Dieu. Dieu, selon Maïmonide, n'est accessible à l'entendement humain que par le détour d'une théologie négative. On ne connaît de Lui que ce qu'il n'est pas. Pour le reste, les limites de la connaissance humaine interdisent d'aller plus loin. De même, Maïmonide insiste sur la nécessité pour tous d'observer les lois de la Torah. Même si notre intelligence ne nous permet pas d'en saisir le sens, il convient d'admettre qu'elles ont un fondement rationnel qui les justifie. C'est ainsi qu'il justifie la pratique des sacrifices en y voyant une concession nécessaire. Pour lui, la philosophie procède par déduction logique tandis que la religion se fonde sur l'autorité de la tradition. Mais l'une et l'autre poursuivent le même objectif : guider l'homme dans la connaissance de Dieu.

Les courants mystiques et messianiques

Contrairement à une opinion communément reçue, la mystique fait corps avec les autres domaines de la pensée religieuse juive. Elle est présente dans le Talmud sous forme allégorique et symbolique, dans le midrach sous forme narrative, dans l'exégèse en tant que méthode d'interprétation des textes, dans la pratique religieuse et la prière. Mais voyons d'abord les mots qui la désignent et les domaines qu'elle recouvre. Le mot cabbale, couramment employé comme synonyme de mystique, vient de l'hébreu *kabbalah* et signifie réception-transmission. Il désigne la sagesse cachée donnée aux premiers hommes qui l'auraient reçue et transmise selon une chaîne ininterrompue d'Adam à nos jours. Si l'on s'en tient à cette définition, la cabbale serait ainsi la Tradition par excellence.

La mystique est la recherche de l'expérience intime du divin, de l'union mystique, par la contemplation, l'ascèse ou la prière. Elle spécule aussi sur la nature du divin par l'approche ésotérique des textes dont elle cherche à percer le sens caché et tente de manipuler les forces cachées de l'univers par la magie ou la numérologie.

Dès l'Antiquité, des hommes ont été animés par cette volonté de percer les mystères insondables du divin et de l'univers, en principe inaccessibles aux humains, et se sont lancés dans cette aventure en empruntant les voies de l'expérience sensible ou de la spéculation intellectuelle.

A la différence de la mystique chrétienne, la mystique juive ne prend qu'exceptionnellement la forme d'une quête solitaire ; elle reste, par ailleurs, une activité exclusivement masculine. Domaine réservé à une élite masculine d'initiés, certes, mais pas uniquement. Elle nourrit aussi l'imaginaire religieux et les aspirations messianiques d'un peuple hanté par le rêve d'échapper aux contraintes de l'histoire.

Elle reste longtemps le fait de cercles ésotériques fermés (*tannaïm* et *geonim* de la période du Talmud, *'hassidei ashkenaz* de la vallée du Rhin, cabbalistes de Gérone ou du sud de la France des XIIe-XIIIe siècles) avant de s'ouvrir, à partir du XVIe siècle, aux masses et de prendre sa coloration effervescente et messianique (lourianisme, sabbatianisme, frankisme, 'hassidisme).

Les premiers écrits mystiques ont un caractère essentiellement contemplatif. Ils s'intéressent à la création (*maassé béréchit*), à la contemplation de la divinité (vision du char d'Ézéchiel), à la description anthropomorphique de Dieu (*Shiour Qomah*), à son site céleste (*hekhalot*, les palais). Son caractère visionnaire l'emporte sur toute autre considération religieuse, éthique ou spéculative.

Les sources auxquelles les auteurs se réfèrent sont la Bible, en particulier le récit de la Création, et les premiers chapitres d'Ézéchiel, ainsi que des apocryphes et des textes apocalyptiques de la période intertestamentaire, connus des premiers chrétiens.

Avec les cabbalistes espagnols et rhénans, la spéculation mystique prend une nouvelle direction. Une conception dynamiste de la divinité introduit la complexité et le mouvement (*sefirot*) et fait tomber la frontière infranchissable (par le commun des mortels) qui séparait jusque-là le royaume céleste du monde des hommes. Immanence et transcendance deviennent interactives et complémentaires. Par ailleurs, les croisades et les massacres des communautés juives de la vallée du Rhin rapprochent les cercles mystiques des préoccupations de leurs compagnons d'infortune, notamment des questions à caractère éthique susceptibles d'avoir prise sur la vie courante. Ce qui les amène à proposer leur propre modèle d'ascèse de vie, supposée accessible à tous.

C'est en Espagne que l'œuvre maîtresse de la cabbale, le *zohar* ou *Livre de la splendeur*, voit le jour. Rédigé au XIIIe siècle, en araméen, ce texte, est, selon toute vraisemblance, l'œuvre de Moïse de Léon, bien que celui-ci n'en ait jamais reconnu la paternité et l'ait attribué à un maître de l'époque talmudique, Rabbi Siméon Bar Yo'haï. Le *zohar* appartient ainsi à la littérature pseudépigraphe (un pseudépigraphe est un texte que son auteur, demeuré anonyme, attribue, pour lui donner plus de poids et un caractère plus authentique, à un maître célèbre et prestigieux, réel ou mythique, choisi parmi les grandes figures de la tradition). Composé d'un ensemble d'écrits disjoints et se présentant comme un commentaire ésotérique de la Torah, il partage avec celle-ci et le Talmud l'autorité due aux textes canoniques.

Enfin, un pas décisif est franchi au XVIe siècle avec les cabbalistes de Safed rassemblés autour d'Isaac Louria et de son disciple Haïm Vital. Désormais, la mystique juive entre dans une phase capitale de son histoire. L'homme n'y joue plus seulement un rôle contemplatif-spéculatif, il devient acteur. Pour Louria, en effet, l'homme peut, par le seul pouvoir de sa prière, « réparer » le monde (*tikkoun*) et l'amener à la rédemption finale. Ce faisant, il inverse l'ordre cosmique admis jusque-là car, en faisant accéder l'homme à un niveau de responsabilité eschatologique, Louria lui donne du même coup le pouvoir de mettre fin à l'exil, lequel se trouve par là même ramené à la seule dimension historique. Le mouvement impulsé par le faux messie de Smyrne, Sabbataï Tsevi, en fournira l'illustration malheureuse.

Mais la mystique lourianique trouve son expression populaire la plus large et la plus durable dans le 'hassidisme, ce mouvement piétiste revivaliste né en Podolie au milieu du XVIIIe siècle sous l'impulsion du Baal Shem Tov (le Maître du Bon Nom) dont le message est repris, diffusé, enrichi par ses disciples et successeurs.

Sa teneur essentielle tient en quelques mots qui embraseront les communautés d'Europe orientale. Le 'hassidisme enseigne que tout homme peut adresser directement sa prière à Dieu, avec ses propres mots et sans avoir à passer par l'étude, à condition que cette prière lui soit dictée par le cœur. Par ses actes et son amour du prochain, par sa joie et son enthousiasme, chacun participe à sa façon au travail de Rédemption. Pour éviter tout débordement, chaque *'hassid* est invité à s'attacher aux pas d'un maître (*rabbi*) afin qu'il lui montre la voie et lui serve de modèle. Le 'hassidisme s'organise ainsi en cours, rassemblées autour de maîtres charismatiques qui deviennent de véritables substituts messianiques.

Sabbataï Tsevi (1626-1676)

Durant l'espace de quelques mois, de 1665 à 1666, Sabbataï Tsevi est le messie en qui les juifs d'Europe et d'Orient croiront et dont ils attendront la délivrance. Il impulsera un des mouvements messianiques et mystiques les plus puissants que l'histoire juive ait connu, avant de plonger, par son apostasie, le monde juif dans un profond désarroi spirituel et une crise à la mesure des espoirs qu'il aura su faire lever.

Né à Smyrne en 1626, Sabbataï Tsevi est élevé très jeune à la dignité de rabbin. Versé dans l'étude du *zohar*, il manifeste un penchant prononcé pour les pratiques ascétiques et rassemble autour de lui de nombreux disciples. Mais les troubles maniaco-dépressifs dont il souffre le font passer par des alternances d'abattement et d'illumination. A maintes reprises, ses propos et sa conduite suscitent le scandale, à tel point que le rabbinat de Smyrne finit par l'expulser (vers 1651).

Condamné à l'errance, il rencontre celui qui deviendra son héraut et son prophète, Nathan de Gaza (1643-1680). Convaincu de son destin messianique, Sabbataï est renforcé dans sa conviction par Nathan, qui le présente comme le sauveur dont le peuple attend la venue. Les prophéties de Nathan parviennent à soulever des foules de plus en plus nombreuses de fidèles qui, riches et pauvres confondus, se laissent gagner par l'élan messianique et vont jusqu'à vendre leurs biens, convaincus que l'exil est fini et que le moment du « retour » est enfin venu.

De retour dans sa communauté d'origine, Sabbataï prononce, en 1665, l'abrogation de la Loi et se proclame l'Oint du Seigneur. Il se livre à des actes interdits par la Loi auxquels il confère une valeur sacramentelle et annonce le jour de la Rédemption pour le 18 juin 1666. Un nouveau rituel est mis en place, les jours de deuil sont remplacés par des réjouissances. Finalement, Sabbataï est arrêté sur ordre du sultan, emprisonné dans la forteresse de Gallipoli en février 1666 et sommé de choisir entre la conversion à l'islam et la mort. Sabbataï apostasie. Désorientés, la plupart de ses fidèles reviennent au judaïsme traditionnel, tandis que d'autres continuent à croire en lui.

Il s'agit dès lors pour eux de donner un sens à l'apostasie. Ils trouvent les éléments de leur interprétation dans la mystique lourianique et ses contenus antinomistes : pour hâter la délivrance, le messie a dû se livrer lui-même aux forces du mal et les combattre de l'intérieur afin d'y accomplir le travail de « réparation », ce qui explique ses agissements étranges et apparemment hérétiques. Ainsi, loin de trahir sa vocation messianique, son apostasie doit être interprétée comme un sacrifice rédempteur.

Après l'apostasie et le retour apparent à la norme religieuse, le sabbatianisme continuera à faire des adeptes, le plus souvent clandestins, en raison de l'opposition violente des milieux rabbiniques dont l'autorité avait été mise à mal, et à exercer une influence souterraine. Aujourd'hui encore, la secte sabbatéenne des *dunmeh* établie à Istanbul compte plusieurs centaines d'adeptes.

Le frankisme (d'après Jacob Frank, 1726-1791, pseudo-messie de Podolie converti au christianisme) s'inspire directement du sabbatianisme.

Ainsi, loin d'être un phénomène mineur et marginal, la mystique trouve sa place au cœur du judaïsme. Elle accompagne les juifs tout au long de leur histoire sur les lieux de leur exil. D'abord cultivée dans des cercles restreints où se transmet le sens caché de la Torah, elle en vient à faire étroitement corps avec le vécu juif, avec ses attentes les plus folles mais aussi les plus porteuses d'espérance.

Karaïtes et samaritains

Les samaritains et les karaïtes quittent très tôt le tronc commun du judaïsme. Les premiers apparaissent dès la période biblique, encore que leur origine précise demeure incertaine. Quant aux karaïtes dont l'origine est plus incertaine encore, ils apparaissent en tant que secte dissidente à partir du VIIIe siècle. La raison de la rupture avec le courant dominant du judaïsme est, dans les deux cas, la non-reconnaissance de la tradition orale et du Talmud.

Les samaritains fondent leurs croyances sur le Pentateuque. Leurs prêtres, dont la lignée remonterait directement à Aaron, sont les seuls interprètes de la Loi qu'ils reconnaissent. De nos jours, leur communauté, forte de quelques centaines de personnes, est établie à Holon en Israël, bien que leur sanctuaire, le mont Gerizim, soit à proximité de Naplouse (Cisjordanie), l'ancienne Samarie.

Les karaïtes considèrent eux aussi la Bible comme la seule source légitime de la Loi religieuse. L'interprétation littérale à laquelle ils s'attachent et la connaissance de l'hébreu dont ils font une obligation religieuse ont fait d'eux des experts en matière d'exégèse biblique, de lexicographie et de grammaire hébraïques. Ils se sont également fait une réputation d'ardents polémistes qui ont recherché et élevé la confrontation au plus haut niveau avec les tenants du judaïsme rabbinique (cf. *supra*, Saadia Gaon). Leur interprétation rigoureuse et littérale de la Bible les a conduits à une observance très stricte de ses préceptes. Leur extrême sévérité en ce qui concerne les lois de pureté et de mariage a contribué à approfondir le fossé qui les sépare du judaïsme rabbinique, les mariages entre membres des deux groupes étant interdits par leurs autorités religieuses respectives.

Les karaïtes ont été épargnés par les nazis pendant la guerre, en raison de leur implantation géographique (hors des zones occupées par les armées allemandes), mais aussi grâce au fait que le ministre de l'Intérieur allemand de l'époque stipula expressément, le 9 janvier 1939, que les karaïtes n'appartenaient pas à la communauté religieuse juive et que, par conséquent, leur « psychologie raciale » était non juive.

A l'heure actuelle, environ vingt mille karaïtes vivent en Israël et plus d'un millier aux États-Unis.

III
LA MODERNITÉ JUIVE DE L'ÉMANCIPATION À NOS JOURS

Introduction

Nous retiendrons ici de la modernité le fait qu'elle se présente, d'abord, comme une somme de ruptures qui, en affectant tous les domaines de la société civile et politique, fait tomber les murs des ghettos et ouvre aux juifs les portes de la société.

Le ghetto

L'origine du mot a donné lieu à de nombreuses spéculations, mais les spécialistes semblent s'accorder à penser qu'il a été utilisé pour la première fois pour désigner le quartier juif de Venise, situé à côté d'une fonderie (en italien : *getto* ou *ghetto*). Par la suite, l'usage du mot a été étendu à l'ensemble des lieux de résidence juifs du même type, c'est-à-dire les quartiers séparés du reste de la ville par des murs et des portes fermées la nuit, dans lesquels les juifs étaient contraints de se regrouper. Mais avant même qu'il n'existe un mot pour le désigner et qu'il soit imposé par les autorités du lieu, le regroupement volontaire était déjà une pratique courante chez les juifs de diaspora, notamment pour des raisons pratiques.

Le mot ghetto a pris un sens quelque peu différent, plus dramatique, avec la Seconde Guerre mondiale et la politique nazie menée par les Allemands. Les juifs devaient alors être regroupés et concentrés dans les quartiers désignés à cet effet. En général, il s'agissait de quartiers juifs situés dans les grandes villes (Varsovie, Lodz, Vilna, etc.) qui avaient été bouclés et où toute communication avec l'extérieur avait été rendue impossible. Cette politique de regroupement était destinée à faciliter la mise en œuvre de la « solution finale », le transit par les grands ghettos devant servir d'étape avant la destination finale : la déportation dans les camps. Le surpeuplement, l'état sanitaire, les conditions de vie, les épidémies devaient décimer les populations des ghettos et réduire considérablement la capacité de résistance de ceux qui s'y trouvaient enfermés.

Dans cette partie, nous commencerons par l'examen des évolutions qui annoncent et préparent la modernité juive. Nous verrons qu'il s'agit d'un processus qui se déploie dans le long terme. Puis, nous tenterons un bilan qui s'attachera à analyser l'état des juifs et du judaïsme à l'époque contemporaine. La conclusion, enfin, se proposera de dégager quelques-unes des questions qui sont au cœur des débats actuels : intégration et/ou assimilation, identité et transmission, rapports des juifs et du judaïsme à la modernité, à la tradition, etc.

Repères chronologiques

La période qui nous intéresse commence avec les Lumières et s'achève avec la Première Guerre mondiale, bien qu'il soit de tradition d'associer la modernité juive à la Révolution et à l'émancipation. Si on a de bonnes raisons de le faire, on aurait tort cependant de penser que ces deux événements résument à eux seuls la modernité juive. Avant d'être un acquis politico-juridique, celle-ci est d'abord un long travail de mue culturelle, sociale, religieuse, qui commence loin en amont et se poursuit bien au-delà de la seule période révolutionnaire.

La Première Guerre mondiale clôt cette période. Elle marque un tournant décisif et brutal car c'est un monde transformé qui en émerge. Les grandes puissances occidentales, qui proclament le droit des minorités tout en se partageant les dépouilles des vaincus, imposent un découpage politique qui fera droit à certaines des aspirations nationales qui se font entendre, en entérinant la création d'une mosaïque d'États en lieu et place des grands empires nationaux et multinationaux — austro-hongrois, ottoman — qui ont été défaits, tandis qu'à l'est de l'Europe le nouvel espace soviétique succède à l'empire des tsars et qu'au Moyen-Orient la Palestine passe sous mandat britannique. C'est là qu'affluent les vagues successives de colons juifs venus poser les bases de leur futur État. L'immigration juive, qui ne fera que s'amplifier dans les décennies à venir et qui prendra un tournant dramatique au moment de la Seconde Guerre mondiale, allumera et entretiendra un nouveau foyer de tension au cœur d'un monde arabo-musulman hostile, tout aussi décidé à secouer le joug colonial et à conquérir son indépendance qu'à s'opposer à une présence juive dont les visées sur la Palestine apparaîtront incompatibles avec les aspirations nationales des populations autochtones.

Cette période est riche d'autres développements encore. Un peu partout, un nouveau type d'antijudaïsme apparaît, l'antisémitisme. Tandis qu'en Russie ce sont les grandes migrations vers l'ouest qui commencent. En France enfin, le dénouement tardif mais heureux de l'affaire Dreyfus marque la victoire de cette partie de l'opinion qui se reconnaît dans l'héritage de la Déclaration des droits de l'homme.

V / La sécularisation du judaïsme

Que faut-il entendre par modernité juive ? Comme la modernité en général, avant d'être un état de fait, de culture, de société, la modernité juive est, d'abord, une posture mentale, un état de réceptivité aux idées de changement, de mouvement, de progrès. C'est en cela qu'elle est « moderne » et qu'elle tranche par rapport à la posture traditionnelle qui considère tout ce qui vient des Anciens comme norme imprescriptible de pensée et de comportement. Être moderne, c'est, dans un premier temps, ne plus se sentir lié par le passé pour aller de l'avant, ne plus chercher, dans la tradition et les usages, les clés de l'avenir, ne plus aspirer à reproduire et à transmettre les modes de vie et de pensée légués par les générations antérieures. C'est s'affirmer maître de sa pensée, artisan d'un avenir qui ne prétend plus être la reprise fidèle de ce qui a précédé.

Avant toute chose, la modernité juive se présente comme une rupture interne qui affecte le système d'autorité traditionnel, son mode d'organisation communautaire, son système de valeurs et de représentations, ses symboles, ses pratiques, ses croyances. Ces changements seront en grande partie l'œuvre des Lumières juives, la *haskalah*.

Mais, pour espérer déboucher sur un résultat, cette rupture interne doit trouver un répondant à l'extérieur. La société doit faire des juifs des citoyens de plein droit. Ce sera l'œuvre de l'émancipation. La participation de deux acteurs distincts se trouve ainsi requise. Si la modernité sonne pour les juifs le glas de leur système traditionnel en exigeant d'eux qu'ils renoncent à leur séparatisme, la société doit, de son côté, renoncer à son ostracisme à leur égard.

Le fait même qu'un tel retournement soit envisageable marque l'aboutissement de deux processus complémentaires dont les effets se déploient de part et d'autre des murs du ghetto.

L'émancipation politique

Les décrets d'émancipation adoptés par l'Assemblée constituante sont généralement considérés comme l'acte de naissance légal de la modernité juive. A ce titre, le geste émancipateur de la Révolution française est à la fois un symbole et beaucoup plus que cela. Son impact aura des effets bien au-delà des frontières nationales et la France servira de modèle en la matière. Encore que le modèle américain, fondé sur les mêmes principes démocratiques que ceux que se donne la France postrévolutionnaire et dont la Constitution s'ouvre sur le principe de la séparation de l'Église et de l'État, offre lui aussi les conditions propices à l'essor d'une vie juive libre et prospère.

Mais dans la vieille Europe, et à la différence de l'Amérique, il faut compter avec le poids de l'histoire et des traditions. Dans les sociétés libérales et bourgeoises qui se mettent en place, il faudra donc attendre que le droit devienne l'instance appelée à réguler les rapports entre des individus-citoyens et l'État. A ce titre, en les soustrayant définitivement à l'arbitraire de la volonté du prince, l'émancipation marque une avancée décisive qui place les juifs, en principe tout au moins, sur un pied d'égalité juridique. Par ce geste, elle inaugure une ère nouvelle.

Ainsi, l'émancipation fait des juifs des citoyens libres et égaux, théoriquement dégagés de la tutelle religieuse ou communautaire. En l'espace de quelques décennies, ils opèrent une percée spectaculaire et abandonnent leurs activités traditionnelles au profit d'autres. Ils s'urbanisent et accèdent à des domaines qui jusqu'alors leur étaient restés fermés : la justice, l'Université, la presse, l'art, la culture, l'industrie. La politique elle-même leur devient accessible au plus haut niveau. Ainsi, moins d'un demi-siècle après leur émancipation, un juif, Adolphe Crémieux, devient, pour la première fois en France, ministre. Crémieux est l'image même du juif émancipé : patriote, attaché à l'esprit des Lumières et aux valeurs de la France, sachant concilier en un juste équilibre sa loyauté envers sa patrie et sa fidélité à ses origines juives.

Mais l'émancipation a sa contrepartie. En en acceptant les avantages, les juifs doivent aussi en accepter les contraintes, notamment l'abandon de leurs particularismes, et ne conserver de leurs traditions que le strict nécessaire à l'exercice de leur religion. En revanche, ils doivent s'efforcer de développer tout ce qui contribue à leur intégration : abandonner leurs jargons au profit du français, renoncer à certains de leurs usages au profit de ceux en vigueur dans le pays, quitter leurs occupations traditionnelles pour se tourner vers

France-États-Unis, « terres promises » des juifs ?

La France et les États-Unis se sont longtemps présentés l'un et l'autre comme des nations ouvertes aux hommes et aux idées, mais cette vocation commune ne doit pas cacher des différences profondes.

Par conviction autant que par nécessité, la nation américaine se constitue sur une base pluraliste. Le pluralisme de conviction est celui que l'on rencontre chez les pères fondateurs tel qu'il s'exprime dans leur volonté de rompre avec l'intolérance et les verrouillages du Vieux Continent et leur volonté de construire une société ouverte et généreuse. Quant au pluralisme imposé par la nécessité, il est lié à l'histoire même du peuplement de l'Amérique, territoire conquis, occupé, mis en valeur par une colonisation de peuplement. Le peuple américain est une mosaïque constituée à partir d'individus et de groupes d'origines multiples. Le pluralisme y naît de la nécessité d'intégrer, quoi qu'il en coûte, dans ce gigantesque creuset, immigrés et *natives*, Blancs, Noirs et Indiens, de croyances et d'appartenances aussi diverses que contrastées.

C'est cette imbrication intime de la conviction et de la nécessité qui façonnera l'image et la réalité du pluralisme américain. Ce qui n'empêchera pas d'autres forces de s'exercer en sens contraire, comme en témoignent l'occultation du prix humain de la conquête des territoires de l'Ouest ou la blessure toujours sensible de la guerre civile. Elles n'ont de cesse de rappeler l'existence, comme partout ailleurs, de forces de résistance au pluralisme : racisme, antisémitisme, ségrégation, quotas d'immigration, etc., soulignent tout à la fois les limites et les ambiguïtés de cette société.

Par contraste, le « pluralisme » français apparaît comme la revanche du réel sur les idées. Obnubilée par son rêve d'homogénéité, que dément pourtant la réalité de ses divisions régionales et linguistiques, la France postrévolutionnaire nourrit des ambitions universelles auxquelles l'entreprise coloniale fournit un champ d'application idéal. Pourtant, ce qui n'est probablement pas prévu au départ, ce sont les effets concrets de cette vocation universelle, à savoir l'afflux d'étrangers, au nombre desquels les immigrés juifs, attirés vers la patrie, économiquement prospère, des droits de l'homme. Ainsi, par une sorte d'ironie de l'histoire et de sa dynamique imprévisible, la France, qui veut se reconnaître dans l'image d'une nation homogène et unie par l'histoire, se trouve confrontée à une situation de pluralisme de fait, celle de la diversité de ses populations, à laquelle ni ses structures politiques et administratives, ni son idéologie unitaire ne l'ont préparée.

Se font ainsi face une France de fond catholique qui se voudra laïque, politiquement et administrativement unifiée, mais de fait humainement métissée, et une Amérique fédérale, patchwork ethnique et religieux qui se dessinera État après État ; une France qui se refusera à connaître d'autres intermédiaires institutionnels entre le citoyen et l'État que le parti politique et l'administration, mais où, de fait, coexisteront des « quasi-groupes », et une Amérique où ce face-à-face citoyen/État passera par le relais des appartenances communautaires infranationales et le système du *lobbying*.

Les juifs des deux pays intérioriseront sans peine ces caractéristiques nationales et composeront avec elles pour façonner leurs identités collectives et individuelles.

les métiers « utiles », se mélanger, notamment par le mariage, avec les non-juifs.

C'est là le sens du combat mené par le fameux abbé Grégoire, leur meilleur avocat auprès de la Constituante, et le défi de la régénération. Que préconisent-ils l'un comme l'autre ? L'assimilation à la nation, l'adoption des normes et des valeurs, des comportements et des attitudes prônés par les Lumières et que la Révolution a faits siens. Soit dit en passant, la régénération concerne l'ensemble des Français et c'est parce qu'ils veulent faire d'eux des Français à part entière que leurs amis enjoignent aux juifs de France de renoncer à se considérer comme la fraction d'un peuple en exil. Sous la nouvelle bannière de la France on ne saurait être de deux nations à la fois et les juifs ne font pas exception à la règle.

Les juifs doivent donc s'engager à transformer le judaïsme en une simple religion, le ramener à une affaire de culte et de rite. Ses contenus nationaux et messianiques doivent être sacrifiés à la cause de la construction de la nation France et à leur intégration à cette nation. En échange de leur émancipation on attend d'eux qu'ils acceptent de faire de leur particularisme juif une affaire essentiellement confessionnelle et privée.

Pourtant, le modèle français d'émancipation ne résume pas à lui seul l'entrée des juifs en modernité. Au vu de l'histoire des deux derniers siècles, force est de constater en effet que l'émancipation juridico-politique aura plus souvent été l'aboutissement que le prélude à l'intégration. Aboutissement d'un processus de sécularisation interne ou atteint par d'autres voies d'entrée en politique. Ce sont ces autres expériences de la modernité que vivent les juifs du Centre et de l'Est européen.

La sécularisation interne

La haskalah

Loin d'être comme en France imposée « par le haut », c'est-à-dire par le politique, en Allemagne l'idée du changement prend corps dans la société elle-même et s'impose sous l'influence des philosophes et des théologiens protestants d'abord, du romantisme ensuite. Ce qui donne aux Lumières juives de culture germanique leur coloration particulière.

Ce mouvement, qui est le vis-à-vis juif de l'*Aufklärung*, est connu sous le nom de *haskalah* (ses partisans sont les *maskilim*). Il s'ébauche autour des années 1770 et se prolonge sur un peu plus d'un siècle. Il s'attache à ouvrir la culture juive à la culture séculière en faisant sienne l'idée maïmonidienne selon laquelle les sciences profanes ont leur place dans la culture juive. Ses domaines de prédilection sont l'éducation et la question linguistique ; la Réforme en constitue le complément religieux. Son objectif est l'intégration.

Mais il répond aussi à une aspiration d'un autre ordre. Les mutations en cours incitent les intellectuels juifs passés par l'Université à porter sur le judaïsme un autre regard, déférent mais critique. Or ce regard, qui est aussi un regard inquiet quant à l'avenir incertain du judaïsme, les amène à scruter avec un intérêt (et des méthodes) renouvelé(es) l'ensemble de l'héritage culturel juif accumulé au fil des siècles. Dépôt précieux que la *science du judaïsme* se fera fort de constituer et d'organiser en un champ de recherche ouvert à l'approche scientifique.

• *L'éducation.* — Le premier défi qui attend les partisans de l'intégration est celui de l'éducation et la nécessité d'introduire des disciplines profanes dans les programmes des écoles juives, à l'instar de ce qui se fait dans les écoles non juives. Dès 1778, une école juive, la *Freischule*, est ouverte à Berlin. Destinée à l'origine aux enfants de familles pauvres, elle inclut dans son programme, outre la Bible et l'hébreu, l'allemand, le français, l'arithmétique, la géographie, l'histoire, les sciences naturelles. Elle sera bientôt suivie par d'autres. En Autriche, ces évolutions s'effectuent sous l'incitation pressante du pouvoir, l'édit de tolérance de Joseph II de 1782 rendant obligatoire l'enseignement des matières profanes dans toutes les écoles juives de l'Empire.

Cette ouverture de l'école juive sur l'extérieur constitue une avancée de portée considérable, son mérite étant d'étendre et de diversifier l'offre scolaire et de s'ouvrir aux filles, quelles que soient l'appartenance sociale et la tendance religieuse ou politique de leur famille.

• *La langue.* — La bataille de la langue représente un autre défi dans la course à l'intégration car le séparatisme dont on impute la responsabilité aux juifs est dû pour une part à leur méconnaissance des langues vernaculaires. Hormis les langues juives dans lesquelles ils s'expriment et communiquent entre eux, yiddish ou judéo-alsacien, les juifs ne connaissent au mieux que l'hébreu, mais son usage est réservé aux hommes, et encore, seulement pour l'étude et la prière. Seule l'élite cultivée et ceux que leurs activités mettent au contact du monde extérieur maîtrisent les langues communes : allemand, hongrois, tchèque, russe, etc. Leur apprentissage se trouve donc rapidement inscrit à l'agenda de l'intégration et des programmes scolaires.

Pourtant, l'école et la langue ne sont que les instruments, nécessaires certes mais insuffisants, au service d'un projet. Les juifs éclairés n'entendent pas en rester là. Ils entendent aussi réhabiliter la religion et la culture juives aux yeux de leurs contemporains, juifs et non-juifs. Des siècles d'« enseignement du mépris » par l'Église ont terni l'image des juifs et du judaïsme, assimilant les premiers aux fonctions dégradantes qui leur ont été imposées par la chrétienté et ravalant le second au rang d'un ensemble de superstitions et de pratiques archaïques venues d'un Orient obscurantiste. Pour corriger cette image, deux voies s'ouvrent à eux : la voie religieuse, ce sera le fait de la Réforme, et la voie académique, ce sera l'œuvre de la *Wissenschaft des Judentums*, la science du judaïsme.

La Réforme religieuse

Pour voir le jour, la Réforme religieuse a besoin de circonstances favorables et d'un environnement propice. L'Allemagne du début du XIXe siècle lui fournit l'un et l'autre. D'un côté, les philosophes des Lumières émancipent les hommes de la tutelle religieuse et font d'eux des acteurs autonomes et raisonnables, responsables de leur histoire. De l'autre, la coexistence du catholicisme et du protestantisme propre à la situation allemande favorise l'ouverture d'un espace religieusement neutre, de bon augure pour les juifs puisqu'il permet d'espérer l'élargissement de ce pluralisme de fait à un judaïsme rénové, conforme aux attentes suscitées par les philosophes et les théologiens protestants qui entendent réconcilier religion et raison. Enfin, le débat que suscite en Allemagne l'idée de « régénération » avancée par von Dohm, Mirabeau et l'abbé Grégoire laisse entendre qu'une fois « régénérés » les juifs peuvent devenir non seulement des hommes « utiles et heureux » (cf. le concours organisé par la Société royale des sciences et arts de Metz en 1785), mais aussi des citoyens loyaux.

Les artisans de la Réforme religieuse juive reprennent ces propositions générales à leur compte et n'auront de cesse de les adapter à la situation du judaïsme allemand. Comme Moïse Mendelssohn l'avait fait une génération plus tôt, ils entendent apporter la preuve de la non-contradiction entre Raison et Révélation et mettre en avant le caractère universel du judaïsme.

La mise en œuvre de ces idées s'accompagne d'un toilettage de la liturgie ; les prières invoquant les anges et la résurrection sont

Moïse Mendelssohn (1729-1786)

Précepteur puis marchand de son état, Mendelssohn exerce ces métiers tout en se consacrant à son activité littéraire et philosophique. Étudiant, il s'installe à Berlin où il se mêle aux milieux éclairés et devient l'ami de Lessing. Les idées qu'il développe dans ses premiers écrits empruntent à la philosophie des Lumières. L'écho qu'elles rencontrent l'entraîne malgré lui dans une polémique avec le pasteur Lavater, qui le met en demeure de prouver le bien-fondé de ses opinions religieuses ou de se convertir. Ce sont ces circonstances qui le poussent à composer son *Jérusalem*, le livre qui le rendra célèbre et fera de lui le précurseur de la Réforme religieuse et de l'émancipation. Il y défend l'idée que ni la religion ni l'État ne doivent imposer leur autorité par la coercition des consciences et démontre que le judaïsme satisfait à ce principe. Il y développe aussi sa conception du judaïsme dans lequel il voit une religion non dogmatique fondée sur une loi révélée qui ne contredit pas la raison. Mendelssohn est aussi l'auteur d'une traduction allemande (en caractères hébraïques) du Pentateuque, le *Biour*, accompagnée d'un commentaire en hébreu.

supprimées ainsi que les passages faisant allusion au retour à Sion ou exprimant l'attente de la reconstruction du Temple et de la restauration des sacrifices, et sont remplacés par des sermons en allemand ; certaines prières sont traduites en allemand, l'usage du chœur et de l'orgue est adopté, cet emprunt aux usages chrétiens devant conférer aux offices une solennité jugée de bon aloi.

Pour faire admettre ces changements par des hommes et des femmes nés et formés depuis des générations dans le giron du judaïsme traditionnel, les réformateurs doivent donner une justification théologique, imposer notamment l'idée du caractère progressif de la Révélation et la nécessité pour chaque génération de l'adapter aux conditions de l'époque et du lieu. Ils doivent également démontrer la congruence entre les idées des Lumières et l'éthique universaliste du judaïsme.

La Réforme religieuse est une chance à saisir pour ceux qui répugnent à franchir le pas de la conversion. A la différence de la France, où la laïcité permet à ceux qui quittent le giron de la tradition d'entrer dans la société sans avoir à se convertir, dans l'Allemagne du XIXe siècle, c'est encore la conversion qui fournit au juif le meilleur « ticket d'entrée » dans la société. C'est la meilleure alternative dans un pays où, en dépit des avancées de la sécularisation, la religion et les Églises continuent à imprimer de leur marque l'identité des groupes et des individus et à jouer un rôle social important.

La Réforme religieuse parvient-elle à contenir un mouvement de conversions qui s'amplifie ? Nul n'est en mesure de l'affirmer. Il est certain cependant qu'en dépit de l'accueil bienveillant que réservent les milieux de la bourgeoisie juive au judaïsme réformé, l'option en faveur de la conversion au christianisme concerne rien moins qu'un juif sur dix, s'il faut en croire les estimations avancées. La famille de Mendelssohn elle-même n'y échappera pas.

Cela étant, on ne doit pas s'étonner de retrouver parfois les mêmes hommes (Geiger, Zunz) à la tête du courant réformiste, d'un côté, et à l'avant-garde de la nouvelle science du judaïsme, de l'autre. Sans se confondre dans leurs projets respectifs, l'un et l'autre se confortent mutuellement.

La science du judaïsme

Entreprise de sauvetage de leur patrimoine culturel par des juifs profondément pessimistes quant aux chances de survie du judaïsme dans un monde épris de changement et d'esprit critique ? Entreprise de renouveau critique de la part de savants raisonnablement optimistes quant à ces mêmes chances ? Les interprétations et les opinions divergent d'un auteur à l'autre.

La science du judaïsme s'inscrit dans la foulée des sciences religieuses qui prennent leur essort au XIXe siècle. Elle marque une rupture importante par rapport aux pratiques antérieures car jamais encore des intellectuels juifs ne s'étaient saisis des textes de la littérature religieuse pour en faire les objets d'une approche non religieuse. Jusqu'alors, le caractère sacré de ces textes avait interdit une telle démarche, la notion de judaïsme elle-même faisant figure de concept abstrait, étranger au regard que les juifs avaient coutume de porter sur leur tradition.

Au-delà de l'ambition de son projet, qui vise rien de moins que la connaissance exhaustive de tous les aspects du monde juif et de la vie juive à travers l'espace et le temps, la science du judaïsme poursuit un but militant. Lorsqu'elle prend forme en Allemagne dans les années 1810-1820 parmi la deuxième génération des jeunes *maskilim*, elle se veut une réplique à l'assimilation rapide des milieux juifs cultivés, à leur indifférence de plus en plus prononcée à l'égard du judaïsme et à leur ignorance grandissante. Elle se pose aussi comme une réaction à la propagande antijuive qui accompagne l'entrée des juifs dans la vie culturelle et intellectuelle. Elle entend aussi, rappelons-le, réhabiliter l'image du judaïsme aux yeux des milieux cultivés.

En l'espace de quelques décennies, une poignée de chercheurs ouvre un gigantesque chantier de recherche, exhumant, traduisant, procédant à l'édition critique de documents anciens, offrant à la connaissance du public des pans entiers, inconnus ou négligés, de l'histoire juive. Aucun domaine du savoir ne semble pouvoir échapper à leur sagacité : l'histoire de la littérature talmudique et de la pensée juive médiévale, la linguistique hébraïque, l'exégèse, la philosophie, la poésie. Des bibliographies de la littérature juive ancienne sont établies à partir des catalogues de grandes bibliothèques, des fonds encore inexplorés sont découverts et exploités, comme celui de la *genizah** du Caire. L'intérêt pour les sources anciennes, bibliques et talmudiques, incite au retour à l'hébreu, lequel évoque une époque noble du passé juif et perd peu à peu son caractère de langue sacrée. Les *maskilim* le substituent progressivement à l'usage du yiddish, qui se voit assimilé à l'image dépréciée de la culture du ghetto. Cette tentative de refaire de l'hébreu une

L'intelligentsia juive

L'intelligentsia juive tient une place importante dans la culture centre-européenne. Depuis la seconde moitié du XIXe siècle jusqu'à la montée du nazisme, cette culture connaît son âge d'or : les juifs sont présents sur tous les fronts où s'exerce la pensée, où se façonnent les idées nouvelles, que ce soit dans les domaines de l'action ou de la réflexion politiques (Arendt, Landauer, Rosa Luxemburg, Lukacs), dans ceux de l'économie (Schumpeter), de la philosophie (Bloch, Buber, Marcuse, Rosenzweig) ou des sciences sociales (l'école de Francfort avec Horkheimer, Adorno, etc.), dans ceux de l'histoire des idées religieuses et politiques (Scholem, Strauss), de la science (Einstein), de la psychanalyse (Freud, Adler, Reik, Fromm), de la littérature (Kafka, Brod, Schnitzler, Zweig, Roth, Benjamin), de la musique (Weil, Bloch, Mahler, Schoenberg) ou des arts plastiques (Rothko).

Appartenant à une génération de transition, tous ou presque développent un rapport complexe au judaïsme. Immergés dans le monde de leur temps, de Berlin à Vienne, de Prague à Francfort ou ailleurs, pris dans ses turbulences, confrontés à la montée de l'antisémitisme et de l'intolérance, le judaïsme occupe, qu'ils le veuillent ou non, une place déterminante dans leurs préoccupations et leur production intellectuelle ; il alimente, imprègne, oriente, directement ou non, explicitement ou non, leur réflexion, il les sensibilise plus que d'autres à certaines questions. Mus par une approche visionnaire ou critique qu'ils doivent à leurs origines, mystiques religieux ou athées, juifs pratiquants, éloignés de la religion ou convertis, les membres de l'intelligentsia juive témoignent, par l'exemple de leur vie et à travers les œuvres qu'ils ont laissées, des voies que les juifs ouvrent à la culture universelle et à la pensée de cette époque charnière.

Pendant quelques décennies, avant que le nazisme n'oblige la plupart de ces hommes et de ces femmes à trouver refuge sur des terres plus hospitalières et ne mette fin à leur rêve, cette génération peut légitimement croire en la possibilité d'une symbiose entre le judaïsme et la culture d'expression allemande. L'héritage intellectuel et spirituel qu'elle laisse derrière elle reste d'une portée considérable.

langue vivante anticipe d'un siècle ce qui sera une des priorités du sionisme.

Conversion, Réforme, *haskalah*, il semble acquis aux yeux de nombreux juifs que le judaïsme hérité des générations passées n'a plus guère de perspectives d'avenir à offrir. Pour beaucoup d'entre eux, certes, mais pas pour tous.

L'orthodoxie

Ces ruptures ne vont pas, on s'en doute, sans susciter de réactions. Les milieux religieux les plus conservateurs notamment ne peuvent accepter cette sécularisation interne du judaïsme ni les principes sur lesquels elle repose sans réagir à leur tour. Ils se refusent à concevoir un judaïsme fondé sur autre chose que la primauté indéfectible de la tradition et ne peuvent tenir pour acceptable le judaïsme édulcoré que propose la Réforme. Pour eux, la tradition constitue un tout irréductible qu'on ne négocie ni ne brade au gré des circonstances.

Ce refus opposé à l'offensive moderniste et sécularisatrice est à l'origine de l'orthodoxie, courant dont les membres se considèrent comme les authentiques gardiens de la tradition.

Après l'échec de tentatives de recherche d'une possible conciliation, son théoricien, le rabbin allemand Samson Raphaël Hirsch (1808-1888), opte pour une solution radicale et érige son mouvement sur le mode de la résistance, conjuguant une prise de distance critique par rapport à la modernité pouvant aller jusqu'au refus, au repli communautaire et à la radicalisation religieuse afin de contrer l'assaut d'une sécularisation conquérante.

L'orthodoxie se sépare des autres branches du judaïsme, mais parvient à réconcilier les frères ennemis que sont *'hassidim** et *mitnagdim** qui, dans ce combat, ne peuvent que se reconnaître comme des alliés.

Avant de devenir un phénomène quasi marginal et d'être ravagée par la guerre, l'orthodoxie reste pour un temps le bastion des milieux populaires, notamment en Hongrie et en Europe orientale, où elle rassemble les forces vives du judaïsme.

Le judaïsme conservateur

Entre ces tendances extrêmes, il y a place cependant pour un judaïsme à la fois moins radical que le judaïsme orthodoxe et moins libéral que le judaïsme réformé. Le judaïsme conservateur occupe cet espace intermédiaire et apporte une troisième réponse religieuse au défi de la modernité. Que propose-t-il qui le différencie des autres courants ? Pas grand-chose, sinon qu'à son respect de la tradition, dont il recommande l'observance, s'ajoute une sensibilité particulière aux exigences de l'époque et aux progrès des connaissances. Il se constitue en Allemagne, à l'initiative du directeur du séminaire théologique juif de Breslau, Zacharias Frankel (1801-1875), mais c'est surtout aux États-Unis qu'il connaît le succès.

Judaïsmes réformé, orthodoxe et conservateur sont les réponses religieuses apportées à la sécularisation interne du judaïsme. Mais la modernité juive se développe aussi selon des modalités politiques non religieuses qui en appellent à la conscience collective juive. La encore, les voies qui s'ouvrent sont aussi nombreuses que les réponses apportées aux nouvelles questions qui surgissent : nationalisme, autonomisme, territorialisme, diasporisme. Parmi eux, deux mouvements, dont l'un connaîtra l'échec dans des circonstances tragiques et l'autre un destin historique, se dégagent : le mouvement ouvrier juif et le sionisme.

L'éveil de la conscience collective

Car à l'autre bout de l'Europe, le changement prend une tout autre direction. Alors que les juifs du Centre-Ouest se voient accorder les moyens de faire leur entrée dans la société, ceux de l'Empire russe en sont encore bien loin (il leur faudra attendre 1917 et l'abolition du régime tsariste pour être émancipés par le gouvernement provisoire). Les progrès de la russification et de la scolarisation ont effectivement permis à une classe moyenne juive éclairée de prendre forme, mais elle ne représente qu'une infime proportion de la population juive.

La société russe reste une société bloquée, enfermée dans des structures rigides et policières qui découragent tout espoir de changement. L'Église orthodoxe, jalouse de son autorité, pèse sur les corps et les âmes et ne fait qu'accentuer l'inertie qui paralyse l'empire. Son antijudaïsme séculaire ajoute ses effets ravageurs à ceux d'une politique (conscription, *quotas*) dont les conséquences, désastreuses pour les juifs, se déploient dans un climat d'hostilité grandissante qui culmine dans les pogroms de 1881. Ce sombre tableau est encore obscurci par les effets de l'industrialisation. Concentrés dans des secteurs peu compétitifs du petit commerce, de l'artisanat et de la petite industrie, les juifs voient leur situation dangereusement précarisée par l'arrivée d'un sous-prolétariat grossi par l'exode rural et qu'avantagent, à leurs dépens, les nouvelles règles de la concurrence.

Ce sont donc des populations en situation critique que va toucher la modernité lorsque, avec près d'un siècle de retard, elle gagne enfin les marches de la Russie. Hormis la conversion individuelle ou l'émigration — cette dernière sera le fait de plus de deux millions et demi d'entre eux entre 1881 et 1914 —, le mouvement ouvrier juif et le sionisme sont, parmi d'autres, deux des options historiques qui s'offrent aux juifs. Ils proposent des solutions globales à ce qui, à cet autre bout du continent européen, prend la dimension d'une « question juive ». Il faut se rappeler en effet que l'annexion des territoires polonais au lendemain de la partition de la Pologne de 1793 a fait passer une importante population juive sous contrôle russe. Rassemblée dans la « zone de résidence » aussitôt instituée par Catherine II, elle représente près de 90 % de l'ensemble des juifs dans le monde. Dans cet univers de pauvreté rongé par les conflits, la vie quotidienne est dure. S'y affrontent en permanence, sous le regard tracassier du pouvoir, juifs et non-juifs, riches et pauvres, conservateurs et progressistes, traditionalistes et sécularistes, radicaux et modérés. Mais cette promiscuité qui exacerbe les rancœurs est également propice à la mobilisation collective.

Si les deux mouvements s'appuient l'un et l'autre sur une solide infrastructure de syndicat ou de parti, ils divergent quant à leurs conceptions du destin collectif juif.

Les dirigeants du mouvement ouvrier juif procèdent à une analyse en termes de classes. Pour eux, les masses populaires juives constituent une fraction de la classe ouvrière, ils en partagent les intérêts et le combat. Cette vision idéale d'un monde ouvrier fraternel uni par-delà les frontières nationales, religieuses, linguistiques emprunte à l'eschatologie séculière du communisme à laquelle nombre de juifs en rupture de judaïsme adhèrent sans réserve mais à laquelle les dirigeants du futur mouvement ouvrier juif se verront obligés d'apporter quelques retouches.

Quant aux théoriciens du sionisme, ils procèdent à une approche en termes de peuple et de nation. Selon leur analyse, ces mêmes masses constituent une entité à part, le peuple juif, appelée à s'auto-émanciper, c'est-à-dire à réaliser le programme d'émancipation proposé par la Révolution française, mais dans le cadre d'une société juive autonome, organisée sur une base nationale, étatique et territoriale. Leur programme se fonde sur le constat du caractère illusoire des promesses de l'émancipation dans les pays hôtes et sur celui de la permanence, voire de la montée, de l'antisémitisme.

De fait, la distance est longue entre l'invocation de la grande fraternité prolétarienne et la réalité. La réalité du socialisme est moins idyllique que ses mots d'ordre ne le laissent à penser car le monde du travail est un monde complexe tissé de conflits.

Un prolétariat artisanal d'un genre particulier a pris forme dans la zone de résidence où les juifs mènent une vie laborieuse dans le dénuement le plus total. Engagés dans de petits métiers semi-artisanaux, ces travailleurs exercent leur activité en famille, secondés par un apprenti ou un compagnon, à domicile ou dans de petits ateliers. Les relations professionnelles y sont hiérarchiques, autoritaires, paternalistes. L'éventail des revenus, très resserré, place petits patrons et ouvriers quasiment au même niveau de pauvreté. Ces minuscules unités de production pratiquent un système de sous-traitance qui les assujettit aux gros entrepreneurs, le plus souvent juifs eux aussi. Cela vaut en particulier pour l'industrie textile, qui emploie une importante main-d'œuvre juive. Le travail, saisonnier, pour des salaires dérisoires, souffre de la concurrence impitoyable du prolétariat industriel. La surexploitation en chaîne est le lot commun, de l'apprenti au patron…

L'industrie naissante laisse présager une amélioration générale des conditions de vie, mais les juifs, eux, se voient d'emblée privés de cette espérance et constatent à l'inverse une dégradation et une précarisation sensibles de leur situation. De fait, ils se trouvent exclus de la grande industrie mécanisée, en raison des impératifs de résidence qui leur interdisent de se rapprocher des grands centres, mais aussi pour des motifs qui tiennent aux vieux réflexes antisémites autant qu'à des contraintes objectives, notamment aux rythmes de travail imposés par leur calendrier religieux (chabbat ; jours fériés juifs).

La singularité du prolétariat juif tient donc autant à son caractère artisanal qu'à son caractère intracommunautaire. Les antagonismes et les luttes sociales qui s'y livrent opposent le plus souvent des juifs à d'autres juifs. Elle tient également à son isolement linguistique, qui fait obstacle à toute mobilisation par la propagande commune en langue russe. Les juifs ne parlent et n'entendent que le yiddish (à la fin du XIXe siècle, 3 % seulement déclarent le russe comme leur langue maternelle).

Ce mouvement connaît une longue période de maturation avant de se constituer, en 1897, en un parti-syndicat, le *Bund* (abréviation du yiddish *algemayner arbeter bund in lito, poyln un russland* — Union générale des travailleurs juifs de Lituanie, Pologne et Russie), et, fort de sa base militante, de mettre en place ses réseaux, ses structures organisationnelles, ses organes de presse et de propagande.

• *Le yiddishisme.* — Mais un autre chantier s'ouvre à l'action militante, celui de l'autonomie nationale et culturelle. Outre son action sur le terrain syndical en effet, le Bund entend défendre la culture yiddish et obtenir la reconnaissance de son statut de culture nationale car le développement d'une culture séculière d'expression yiddish a, entre-temps, cristallisé une conscience collective qui entend s'affirmer dans le champ politique.

Le yiddish et le yiddishisme

Depuis les IXe-Xe siècles, le yiddish, langue de fusion de l'hébreu, de l'allemand médiéval et de langues slaves, est la principale langue de communication des juifs ashkénazes. Langue populaire parlée, elle est aussi un moyen d'expression écrite qu'atteste une abondante production littéraire, religieuse et profane.

La sécularisation du judaïsme et l'adoption des langues des pays hôtes par les juifs entraînent le déclin du yiddish. Pourtant, avant même que les sionistes (et avant eux les *maskilim*) ne décident de ressusciter l'hébreu, le yiddish joue un rôle majeur dans l'émergence de la culture juive moderne. Il en est, aux côtés de l'hébreu, un des principaux supports linguistiques. Des écoles et des bibliothèques sont ouvertes, des cercles culturels, des théâtres, une presse yiddish se créent, tandis qu'une nouvelle génération d'écrivains et de poètes prend la succession des pères fondateurs de la littérature yiddish moderne (Mendele Mokher Seforim, Sholem Aleikhem, Isaac Leib Perets). Des linguistes rajeunissent la langue et la sécularisent en l'enrichissant de mots et de concepts nouveaux, ils en systématisent la syntaxe et établissent des dictionnaires et des manuels de grammaire.

Après la Seconde Guerre mondiale et la destruction de son berceau centre-européen, ses relais outre-Atlantique, ouest-européens et israéliens évitent au yiddish de sombrer totalement dans le néant et parviennent à retarder son déclin et son abandon progressif. Le yiddishisme y poursuit, pour une courte période, son développement par le canal des milieux juifs immigrés de première génération, qui ont emporté dans leurs bagages leur culture d'origine et qui perpétuent une vie juive de langue yiddish dans leurs nouveaux pays d'accueil, autour de journaux, de revues, de théâtres, de maisons d'édition, de cercles littéraires, de partis politiques dont la langue d'expression demeure le yiddish. Pourtant, dès la génération suivante, le yiddish accuse un net recul. Même constat en Union soviétique où, avant que Staline ne liquide physiquement les principaux écrivains yiddish soviétiques en 1952 (Kvitko, Fefer, Hofstein, Bergelson, Der Nister, Markish) et ne lui donne un coup d'arrêt définitif, le yiddish connaît une période d'intense créativité.

Il ne fait pas de doute que le yiddish parvient, aujourd'hui encore, grâce à sa littérature (Opatoshu, Ash, Manguer, Singer) et à un répertoire de chansons et de musique populaire, à redonner vie à un monde disparu tout comme il contribua, en son temps, à tisser le lien social dans la trame des mots de tous les jours. Par ailleurs, au sortir de la guerre, des œuvres littéraires, (récits, autobiographies, romans, poésie) ont pris pour thème cet épisode dramatique de l'histoire juive afin d'en perpétuer la mémoire (Sutzkever, Wiesel...), tandis que d'autres rescapés du génocide, dispersés aux quatre coins du monde, se faisaient un devoir d'ériger, en mémoire des victimes, un monument d'un genre inédit fait de mots et de lettres, et participaient à la rédaction collective, en yiddish, de plusieurs dizaines de *Livres du souvenir* (*Yizker Bukher*).

Faute de locuteurs et de lecteurs, le yiddish serait, aujourd'hui, voué à l'oubli si des traductions n'étaient disponibles sur le marché. L'important travail d'édition et de traduction, d'un côté, la multiplication du nombre des lieux d'étude et d'enseignement du yiddish, de l'autre, répondent à une demande, certes, mais ces initiatives ne sauraient compenser la disparition progressive et inexorable des derniers représentants vivants de cette culture.

L'autonomie nationale et culturelle telle que la conçoivent les dirigeants bundistes entend s'affirmer sur les lieux mêmes où vivent les masses juives d'Europe orientale. Elle ne passe par la revendication d'aucun territoire propre. Ce n'est pas là la moindre de ses singularités et c'est un des points qui oppose le mouvement sociodémocrate juif au sionisme qu'il condamne, le considérant comme rien de moins qu'une réaction bourgeoise à l'antisémitisme. Contrairement au sionisme en effet, et aux autres types de nationalismes pour lesquels le territoire constitue une dimension essentielle de la nation, l'affirmation du droit des juifs à être reconnus au titre de nation passe, dans l'approche bundiste de la question nationale, essentiellement par l'affirmation du droit des juifs à promouvoir et à gérer de façon autonome leur culture nationale dans leur langue nationale (écoles, presse) et à envoyer aux différentes assemblées des représentants juifs défendre, au titre des droits des minorités nationales, les intérêts spécifiques de la nation juive.

La montée du fascisme en Pologne et l'absorption du Bund par la section juive (la *yevsektsia*) du parti communiste en Union soviétique rendront obsolète cet ambitieux programme avant même qu'il ne soit définitivement englouti dans le naufrage du judaïsme européen.

En porte à faux entre l'internationalisme prolétarien et le particularisme juif, entre le socialisme et le nationalisme, affaibli de l'intérieur par ses propres divisions, et de l'extérieur par les recompositions politiques qu'entraîne, dès 1917, la rupture entre la Pologne et l'URSS, le principal mouvement ouvrier juif ne dispose plus, au sortir de la Seconde Guerre mondiale, ni des ressources humaines ni des conditions politiques nécessaires pour espérer redonner corps à une vie nationale juive.

Le sionisme

En préconisant l'installation du peuple juif sur sa terre historique, la Palestine, le sionisme s'affirme d'emblée comme un mouvement nationaliste-territorialiste. Cet objectif témoigne d'une extrême ambition car non seulement il entend refaire l'unité du peuple juif dispersé en le rassemblant sur sa terre ancestrale, mais il entend également refaçonner une société juive sur des bases nouvelles. Ce mouvement propose une alternative globale aux promesses non tenues de l'émancipation.

Il serait faux de considérer le sionisme comme la simple reprise du thème traditionnel du retour à Sion et de l'antique incantation « l'an prochain à Jérusalem ». S'il ne fait aucun doute que l'attachement millénaire des juifs à cette terre n'est pas étranger au choix de la Palestine, et s'il n'est pas contestable non plus que la Bible prête au sionisme nombre de ses références historiques et de ses symboles nationaux, il est clair que ce n'est pas l'exigence née de cette attente religieuse qui lui donne naissance. Mouvement politique séculier, le sionisme est une version juive du nationalisme moderne. Il s'inscrit dans le droit fil des mouvements de libération nationale du XIXe siècle.

Plus que l'attente messianique du retour à Sion vieille de près de deux mille ans, l'incapacité des nations à trouver des solutions à la « question juive » explique pour une part le succès du sionisme moderne.

Cependant, le sionisme n'est pas à un paradoxe près. Paradoxe auquel il doit une partie de ses difficultés à se faire admettre par les juifs eux-mêmes. Tandis que Theodor Herzl tente désespérément de faire accepter l'idée que la « question juive » ne peut trouver de solution que politique, à savoir la création d'un État propre sur un territoire propre, et tente de persuader que, en dépit de leur dispersion qui fausse leur perception d'eux-mêmes et disloque les liens de solidarité qui devraient naturellement les unir, les juifs forment un peuple uni par une histoire et une destinée communes, les juifs émancipés de leur côté s'engagent tout aussi désespérément dans une logique d'assimilation et tentent, avec succès parfois, l'aventure de la modernité et de l'intégration individuelle. A l'évidence, les gages de loyauté qu'ils doivent à leurs patries d'adoption s'accordent mal avec l'idée d'un peuple juif uni par-delà les frontières. Cette incompatibilité explique en grande partie l'accueil distant que les juifs émancipés réservent au sionisme. Ce dernier va directement à l'encontre de leurs aspirations.

Quant aux sionistes, ils considèrent l'antisémitisme comme une

L'antisémitisme

A l'époque de Herzl, les prémices de l'antisémitisme ne sont déjà plus religieux et, à la différence de l'antijudaïsme chrétien, la stigmatisation des juifs ne s'accompagne d'aucune planche de salut comparable au baptême. Désormais, c'est la race et non la religion qui devient stigmatisante. Car, au regard de cette nouvelle doctrine, que certains érigeront en science, les juifs relèvent d'un type humain fondamentalement ambigu. Appartenant à la fois à une race inférieure, mais, paradoxal et plus grave, également doués de qualités qui leur confèrent des pouvoirs redoutables et des ambitions démesurées, les juifs sont d'autant plus dangereux qu'ils savent se rendre invisibles. L'ennemi à redouter n'est donc pas tant le juif reconnaissable à son aspect physique (le juif immigré) que le juif assimilé qui se fond dans la foule (le capitaine Dreyfus, prototype même du « traître »). Cet « autre » qu'il convient de traquer dans le juif n'est donc pas tant celui dont l'altérité se donne à voir et est immédiatement repérable que celui qui se donne à voir comme un autre « moi » et dont l'altérité supposée se cache derrière l'apparence du même.

Pourquoi l'antijudaïsme prend-il cette tournure nouvelle ?

Leur entrée dans la société fait des juifs des partenaires sociaux à part entière et, du même coup, des concurrents et des rivaux. Leur dynamisme et leur volontarisme, aiguillonnés par des siècles de frustrations, inquiètent les milieux conservateurs les plus menacés par les bouleversements qui agitent l'ensemble de la société : la montée d'une bourgeoisie d'affaires, qui compte un certain nombre de juifs dans ses rangs, inquiète la bourgeoisie traditionnelle ; l'industrialisation et les grands travaux d'équipement, auxquels participent quelques grands financiers et industriels juifs, inquiètent la petite noblesse terrienne et les propriétaires fonciers ; les mêmes inquiétudes accompagnent le développement d'une bourgeoisie intellectuelle dont quelques hommes politiques, juristes, journalistes, écrivains ou éditeurs juifs viennent grossir les rangs. Ces cas de réussite individuelle sont d'autant plus visibles et remarqués qu'ils sont nouveaux dans le paysage social.

Au fur et à mesure que les enjeux de la modernité perdent de leur contenu religieux, l'antijudaïsme chrétien cède progressivement la place à un antisémitisme économique et racial. Le juif doit être humainement disqualifié pour être socialement éliminé.

Dans cette nouvelle configuration, les juifs se voient enfermés dans un piège : plus ils s'intègrent et prennent les « couleurs » de leur environnement, plus ils sont susceptibles de déplaire et d'induire des réactions antisémites. Mais le piège ne s'arrête pas là. Les juifs occidentaux voient l'arrivée des immigrés d'Europe orientale avec des sentiments mitigés. S'ils éprouvent de la compassion à leur égard, celle-ci n'est pas sans être mêlée de crainte. Ces « Orientaux », dont l'aspect et le comportement révèlent l'appartenance, ne leur renvoient-ils pas l'image de ce qu'ils étaient eux-mêmes à une ou deux générations de distance ? Ce retour brutal d'un passé encore proche qui vient s'interposer entre eux et leurs efforts d'intégration ne risque-t-il pas de compromettre cette intégration ? En pleine vague d'antisémitisme, ils craignent que l'image du juif du ghetto ne recouvre celle du juif émancipé.

Ici encore, l'antisémitisme ne laisse aux juifs aucune issue. D'un côté, l'altérité trop prononcée de ceux qui n'ont pas accès à l'intégration individuelle les élimine d'office de la compétition sociale en raison de la distance supposée infranchissable qui les sépare du reste de la société et, de l'autre, une identité trop affirmée sur le mode de la proximité rend suspects de duplicité ceux qui jouent la carte de l'intégration, en raison même de l'identification jugée trop étroite qu'ils tentent d'instaurer entre « eux » et le reste de la société.

donnée permanente qui ne laisse aucune chance aux juifs en diaspora. On ne saurait par conséquent miser sur sa disparition. De ce point de vue, il faut reconnaître à Herzl d'avoir eu une vision prémonitoire.

L'autre pan du sionisme, nous l'avons vu, s'élabore autour de la question nationale. Mais là aussi les juifs sont divisés et, lorsque le premier Congrès sioniste se réunit à Bâle en 1897, l'année même de la création du *Bund*, il se présente déjà comme un mouvement composite.

Toute différente en effet est la vision d'un A'had Haam (1856-1927), le père du sionisme culturel, de celle d'un Jabotinsky (1880-1940), le père du sionisme révisionniste. Pour le premier, la Palestine a vocation à être moins le lieu d'un État-nation qu'un centre spirituel pour l'ensemble du peuple juif, tandis que le second en appelle à un nationalisme dur qui refuse de concéder aux Arabes palestiniens (et aux Britanniques qui ont mandat sur la Palestine) le moindre droit sur ce qu'il considère être la terre « inaliénable » du peuple juif. Toute différente encore est la conception populiste, mystique et romantique d'un Gordon (1856-1922), qui voit dans le sionisme et le retour à la terre une forme de rédemption par le travail, de celles de sionistes socialistes tels que Moses Hess (1812-1875), Moses Syrkin (1878-1918), Ber Borokhov (1881-1917), Haïm Arlosoroff (1899-1933) ou David Ben Gourion (1886-1973), selon lesquels, et avec toutes les nuances qu'impose la diversité de leurs analyses, l'État juif constitue le cadre national préalable et nécessaire à la désaliénation du peuple juif et à sa lutte des classes.

Quelle est l'attitude des religieux à l'égard du sionisme ?

Des siècles durant, nous l'avons vu, le thème de la terre était resté lié à la sphère religieuse et avait fait l'objet d'une spiritualisation étroitement contrôlée par les rabbins, qui excluait toute concrétisation messianique immédiate. Les quelques expériences de retour tentées (cf. Sabbataï Tsvi) s'étaient soldées par des échecs cuisants et avaient fait place à un sentiment de frustration et de désespérance. Depuis lors, le quiétisme messianique, c'est-à-dire la croyance selon laquelle le rassemblement des exilés et le retour à Sion ne pouvaient être l'œuvre que de Dieu, s'était imposé comme une condition indispensable à la stabilité des communautés juives.

Aussi le passage d'un messianisme passif à un sionisme volontariste ne peut-il qu'ébranler les milieux religieux. D'autant que, loin d'être inspirée d'En-Haut, l'initiative du retour à Sion est le fait de la seule volonté des hommes, qui plus est, de mécréants. Comme on peut s'y attendre, rares seront les responsables religieux à voir la montée de ce mouvement laïque et iconoclaste d'un œil favorable. La plupart ne trouveront pas de mots assez durs pour le fustiger. *'Hassidim* et *mitnagdim* oublieront une fois encore leurs querelles pour créer ensemble, en 1912, un parti orthodoxe antisioniste, *l'Agoudat israel.*

Pourtant, dès ses débuts, il se trouve malgré tout des religieux pour s'associer à l'entreprise sioniste. En cette fin de siècle où les juifs sont une fois encore confrontés à la violence antijuive, ils y voient une nécessité historique. Mais surtout le sionisme trouve grâce à leurs yeux car il offre au peuple juif le moyen de se réconcilier avec sa terre dans l'accomplissement de la Torah. Cette conjonction entre le peuple, la terre et la Torah servira de slogan et de schéma directeur au parti *Mizrahi* qu'Isaac Jacob Reines (1839-1915) fonde avec quelques autres en 1902. Les sionistes religieux entendent ainsi redonner à l'existence juive la dimension plénière à laquelle les autres juifs ont renoncé, que ce soit par leur abandon de la Torah (les juifs sécularisés), ou par leur refus du retour (les autres orthodoxes). Ils se considèrent par conséquent comme les seuls à assumer dans son intégralité la mission d'Israël. Mais ce ralliement poursuit aussi un objectif tactique. Pour ne pas laisser l'entreprise sioniste aux mains des seuls laïcs, les sionistes religieux se font fort de rallier les autres religieux à la cause sioniste. A la différence de l'orthodoxie qui professe un messianisme passif et attend de Dieu seul la réalisation de la promesse, le sionisme religieux œuvre à l'avènement des temps messianiques. Il confère ainsi à l'entreprise sioniste d'abord, à l'État d'Israël ensuite, la légitimité religieuse indispensable à un État qui, en dépit de son caractère laïque, se définit comme juif et se donne des symboles nationaux empruntés à la Bible (étoile de David, chandelier).

A la différence du mouvement ouvrier juif, le sionisme a survécu à la guerre. C'est même au lendemain de la guerre qu'il a pleinement réalisé sa vocation avec la création de l'État d'Israël. La création de cet État a-t-elle pour autant mis un terme à sa raison d'être ? La réponse dépend évidemment de la définition que l'on retient. Si on limite la mission du sionisme à la création de l'État, il ne fait pas de doute que cette mission a été remplie. Si, en revanche, on estime que le rassemblement du peuple juif sur sa terre ancestrale représente un volet tout aussi capital de cette mission, alors le jugement ne peut être que mitigé : à l'exception de l'ex-URSS, les gisements d'immigration sont taris et les juifs ne se sont toujours pas rassemblés sur la terre promise à leur ancêtre Abraham. Quant à l'utopie d'une société juive idéale, il est à craindre que les contraintes du réel aient eu raison d'elle.

Enfin, après un demi-siècle d'existence, l'État juif reste en état de guerre. Sacrifiée aux urgences du moment, la question de fond de la coexistence entre juifs et Arabes et de l'intégration d'Israël à son environnement moyen-oriental n'a toujours pas trouvé sa réponse, ni politique ni pratique. Faute d'être abordée de front, dans un esprit de justice et d'équité, cette question risque de compromettre pour longtemps encore la perspective d'un avenir paisible dans cette région du monde.

VI / Les juifs et le judaïsme aujourd'hui

Le changement n'est pas chose nouvelle pour les juifs. Dans le passé, il avait toujours été imposé par les circonstances et le souci de préserver le « noyau dur » du judaïsme en l'adaptant à elles. Avec la modernité, en revanche, le changement devient, nous l'avons vu, synonyme de remises en question. Le caractère incontesté, non discutable, de la Tradition devient lui-même objet de débat, de jugement critique. Sujet de son histoire, l'homme devient artisan de son destin. Jusqu'à un certain point pourtant, et non sans de nouvelles remises en question. Voyons, pour commencer, les événements qui bouleversent la vie juive.

Rappels historiques

A elle seule, cette seconde moitié de siècle pèse aussi lourd sur le destin des juifs que les vingt siècles précédents. En quelques décennies, leurs équilibres démographiques sont rompus, leur géographie redistribuée, leurs modes de vie bouleversés. Les événements à l'origine de ces changements sont connus : le génocide, la création de l'État d'Israël, la décolonisation, le conflit israélo-arabe. Ils font littéralement voler en éclats les cadres de la vie juive.

Le génocide

Le génocide est le plus traumatisant de tous. Outre l'abîme de questions, souvent sans réponse, qu'il ouvre, il fait douter des certitudes d'hier, remet en question les acquis de la raison et de la science, mais aussi la démocratie et la foi jusque-là indéfectible dans les vertus de la modernité et du progrès. Il inaugure une ère de désillusion et ouvre de nouveaux chantiers à la réflexion.

Le génocide ampute le monde juif de la plus grande partie de lui-même. Plus de cinq millions de juifs, hommes, femmes et enfants, sont exterminés. Les pays autrefois les plus peuplés de juifs, ceux d'Europe du Centre et de l'Est (à l'exception de la Russie), sortent de la guerre *judenrein*, vides de toute présence juive, à quelques milliers d'individus près. Des communautés entières sont rayées de la carte. Quant aux juifs des autres pays d'Europe, ils ne sont pas épargnés non plus. Entre 1939 et 1945, les communautés juives d'Europe de l'Ouest et du Sud perdent entre un quart et trois quarts de leurs effectifs du fait de la guerre (émigration et déportation confondues). En France, on estime à plus de 70 000 le nombre des déportés raciaux disparus dans les camps de la mort, soit près du quart de la population juive présente sur le sol national à la veille des hostilités. Les juifs de Grande-Bretagne sont les seuls avec ceux du Danemark à sortir à peu près indemnes de la guerre. Les premiers le doivent à leur situation insulaire, les armées allemandes n'ayant pu mettre le pied sur le sol britannique ; les seconds au mouvement de solidarité qui permit à plus de 7 000 juifs, sur les 8 000 que compte le pays, d'être évacués vers la Suède.

Quelques chiffres

En 1860, près de 90 % des juifs étaient établis en Europe. Aujourd'hui, cette proportion est tombée à 13,8 %, dont moins de 8 % pour les seuls pays de l'Union européenne (Europe des Quinze). En 1939, l'Europe comptait 9,5 millions de juifs ; elle en compte moins de 1,8 million en 1994, dont 42 % vivent actuellement dans les pays de l'Est européen et les Balkans et 58 % à l'Ouest. En 1994, l'Europe a perdu encore 4,2 % de sa population juive en raison d'un courant d'émigration continu d'ex-URSS. Cela signifie un renversement des équilibres démographiques entre l'Europe de l'Ouest et l'Europe de l'Est.

Source : American Jewish Year Book 1996.

Cette saignée démographique, évaluable en termes de pertes de vies mais aussi de manques de vies à naître, s'accompagne d'une vaste redistribution, car autour de ce trou démographique la carte juive du monde se redessine.

Nous avons vu que les grands mouvements migratoires remontent à la fin du XIXe siècle. Dès cette époque, l'Europe de l'Ouest et l'Amérique attirent les juifs d'Europe du Centre et de l'Est, au point qu'à la veille de la Seconde Guerre mondiale les juifs immigrés constituent déjà plus de la moitié de la population juive en France. Au lendemain de la guerre, on assiste à la répétition de ce phénomène.

L'heure de la libération venue, l'Amérique, l'Europe occidentale, la Palestine, l'Australie, l'Afrique du Sud accueillent les rescapés. Ces nouveaux mouvements migratoires, qui sont le dernier coup porté à des équilibres démographiques déjà rudement ébranlés, mettent le point final à l'existence des anciennes communautés d'Europe. Ils annoncent aussi la montée de nouveaux pôles qui déjà se reconstituent ailleurs, hors d'Europe, et remplacent ceux que la guerre et l'exode ont détruits. Le Nouveau Monde devient le plus important centre juif avec plus de 45 % de la population juive mondiale, loin devant Israël, qui n'en compte que 30 %.

Au lendemain de la guerre, les juifs américains, qui sont arrivés d'Europe par vagues successives, assoient leur position de « leader » du judaïsme mondial. Solidement ancrés dans la société américaine, à laquelle ils fournissent une part de ses élites culturelles, économiques et politiques, ils participent financièrement à la reconstruction du judaïsme européen et apportent au jeune État d'Israël un soutien matériel et politique précieux. Pluraliste, dynamique, influent, doté d'institutions puissantes, le judaïsme américain n'échappe pourtant pas aux tendances centrifuges de la modernité (sécularisation, assimilation) ni au phénomène d'érosion qui ronge la plupart des communautés juives.

La décolonisation

Les communautés juives établies sur l'autre rive de la Méditerranée sont, elles aussi, appelées à disparaître sous les effets cumulés de la décolonisation et du conflit israélo-arabe. L'accès à l'indépendance des pays du Maghreb (Maroc, Algérie, Tunisie) provoque l'exode massif des juifs, ce qui met fin à une présence juive vieille de plus de mille ans en terre d'islam.

Français depuis 1870 (décret Crémieux), les juifs d'Algérie, soit plus de cent mille personnes (95 %), s'établissent en France dès l'annonce de l'indépendance en 1962, à la différence des juifs du Maroc et de Tunisie qui se répartissent entre la France, Israël et d'autres destinations (notamment le Canada).

Ces vagues d'immigration qui s'étendent sur une vingtaine d'années (1950-1970), et font provisoirement de la France le principal pays d'immigration juive, permettent au judaïsme français d'échapper à la crise démographique qui frappe les autres communautés juives d'Europe, malades de vieillissement et qui n'assurent plus le renouvellement de leur population. Mais cet afflux de sang neuf met la communauté juive française en demeure de mobiliser ses ressources. Pour faire face aux besoins, des dizaines de synagogues-centres communautaires sont mises en chantier et des écoles juives sont ouvertes. Ce dynamisme retrouvé annonce l'amorce d'un renouveau de la vie juive. Grâce aux facilités de logement accordées aux rapatriés, l'installation des nouveaux arrivants s'effectue sans difficultés majeures. Ils contribuent à l'essor des banlieues et des villes nouvelles qui, à partir des années cinquante, commencent à élargir les périphéries urbaines et qui seront, quelques années plus tard, le cadre privilégié des nouvelles recompositions socioculturelles.

La création de l'État d'Israël

La reconnaissance de l'État d'Israël par les Nations unies le 15 mai 1948 est un autre événement majeur. Elle donne aux juifs non encore remis de la guerre le sentiment que la réintégration collective des leurs dans la grande famille des États-nations constitue, au terme de tant d'épreuves, l'étape ultime et attendue de leur « normalisation » définitive. De leur côté, par leur vote favorable, les chancelleries occidentales se dédouanent à bon compte de leur part de responsabilité dans la tragédie du judaïsme européen.

En établissant leur État sur un territoire qui, contrairement à la formule belle mais mensongère, n'est pas « une terre sans peuple pour un peuple sans terre », mais une contrée peuplée d'Arabes palestiniens, les dirigeants sionistes ont conscience des risques d'affrontement qu'un peuplement juif massif de la Palestine et la création d'un État juif ne peuvent manquer de susciter. Chaque once de terre acquise et mise en valeur, chaque village juif créé augmentent les risques de conflagration. Le conflit israélo-arabe officiellement déclenché dès la proclamation de l'État sera la toile de fond permanente sur laquelle s'écrira l'histoire du pays. Les guerres israélo-arabes en seront les épisodes sanglants et successifs.

Les relations Israël/diaspora

En établissant leur État sur une terre saturée d'histoire et de symboles, les responsables sionistes savent aussi qu'ils renouent avec un passé plurimillénaire. Aussi, dès sa création, Israël se sait-il appelé à tenir une place à part dans l'existence et la conscience juives modernes. Mais la réponse qu'il apporte à l'insoluble « problème juif » suscite en retour de nouvelles interrogations, à commencer par celle de l'avenir de la diaspora. Face à Israël, la diaspora ne peut plus se percevoir ni être perçue comme avant. Tout juif se voit désormais appelé à clarifier son rapport à Israël car, dès lors qu'un État juif ouvert à tous les juifs existe, d'exil forcé, la diaspora devient l'objet d'un choix volontaire.

Face à ce choix, tous les juifs n'optent pas en faveur du retour sur la terre des ancêtres. Loin s'en faut. Beaucoup y immigrent, mais plus nombreux encore sont ceux qui lui préfèrent le confort de leurs pays de résidence. Qui plus est, s'ils se réjouissent sincèrement de l'événement, tous n'y voient pas nécessairement l'accomplissement de la promesse et considèrent qu'une vie juive authentique reste possible et légitime en diaspora. Certains même estiment que la diaspora demeure la meilleure chance dont disposent les juifs pour assumer leur identité, que ce n'est qu'en diaspora que le juif peut réaliser sa vocation de passeur et qu'il lui est donné d'opérer véritablement le lien entre le génie particulier d'Israël et l'aspiration juive à l'universel. Il demeure que, en dépit du choix diasporique opéré par la majorité des juifs, la création de l'État d'Israël est une donnée incontournable de la modernité juive. Désormais, les territoires de l'existence juive et de l'imaginaire juif oscillent ou se déploient entre ces deux pôles : diaspora et Israël.

Après le génocide, le devoir de solidarité juive s'est renforcé et il crée des obligations mutuelles. Le soutien de la diaspora se traduit essentiellement en termes financiers et politiques. Cette aide cependant ne suffit pas à guérir les juifs de diaspora du complexe qu'ils nourrissent face à Israël. Quelles que soient la nature et l'ampleur du soutien qu'ils lui apportent, ils n'en continuent pas moins à se sentir perpétuellement débiteurs, en raison du lourd tribut qu'Israël paie de son côté : c'est lui en effet qui assure l'intégration des milliers d'immigrants juifs, et qui veille, au prix de la vie de ses jeunes, à la sécurité du pays.

Cette relation asymétrique où l'unanimisme de la diaspora autour d'Israël s'alimente du sentiment coupable, savamment entretenu, d'une dette toujours impayée, culmine au moment de la guerre des Six Jours. A partir de cet événement cependant, et le premier choc passé, une dynamique nouvelle va s'amorcer dans le sens d'un sain rééquilibrage des relations.

La guerre des Six Jours

Plus que toute autre, les retombées de la guerre des Six Jours de juin 1967 restent agissantes. Retombées politiques, bien sûr, mais aussi retombées psychologiques qui se révèlent tout aussi déterminantes car la victoire militaire d'Israël va transformer l'image des juifs.

En France, la petite phrase du général de Gaulle de novembre 1967 qualifiant les juifs de « peuple d'élite, sûr de lui-même et dominateur » n'est pas étrangère au changement d'attitude qui se produit alors. Plus encore que le retournement politique de la France en faveur du camp arabe, elle marque la fin d'un interdit. Elle lève le tabou qui, depuis la fin de la guerre, avait tenu les juifs à l'abri de tout geste ou propos hostile. Mais cette levée d'immunité réveille aussi les vieux démons antisémites. De fait, la judéophobie n'avait jamais cessé d'exister ; seuls ses relais médiatiques avaient été empêchés de s'exprimer. La liberté d'expression enfin retrouvée, le facile amalgame entre antisionisme et antisémitisme peut se banaliser.

Mais cette guerre a aussi d'autres effets. Notamment celui de renforcer de larges secteurs du monde juif dans une nouvelle conviction née du traumatisme qu'elle a provoqué. Car si cette guerre suscite effectivement des sentiments de fierté retrouvée et exacerbe le nationalisme juif de certains, elle révèle aussi, et surtout, l'existence d'affects plus profonds restés jusque-là insoupçonnés.

Le prologue de la guerre des Six Jours renforce chez les juifs le sentiment de la vulnérabilité (réelle ou supposée) d'Israël. Mais surtout, il leur fait prendre une conscience plus vive de l'attachement qui les lie à lui. Pour l'heure, l'éventualité d'une défaite prend un caractère d'autant plus intolérable, que dans les jours qui précèdent le déclenchement des hostilités, les images de massacres promis et décrits avec force détails par la propagande arabe ont fait resurgir des souvenirs d'autres images de massacres, bien réels ceux-là. A dater de ce jour, les relations entre les juifs de la diaspora et Israël prendront un caractère passionnel dont elles ne se départiront plus. L'intellectuel juif français Raymond Aron constitue un cas exemplaire de la réémergence soudaine de cette conscience identitaire et de la puissance du lien qui lie les juifs les uns aux autres à travers Israël. Certains gauchistes juifs parmi les plus engagés connaîtront une semblable évolution.

Non moins considérables sont les retombées religieuses de la guerre des Six Jours. La reconquête de Jérusalem ranime la tension messianique latente mais inhérente au judaïsme. Certains y voient un signe du ciel. A dater de ce jour, le caractère juif de l'État d'Israël prend une coloration religieuse, voire mystique, nouvelle, dont les effets attendront quelques années encore avant de se déployer dans toute leur ampleur. Cette poussée mystico-religieuse gagnera l'ensemble du monde juif, y compris la diaspora.

Les juifs et le judaïsme aujourd'hui

Au terme de deux siècles d'expérience d'une émancipation qui leur a ouvert les portes de la société civile et politique, où en sont aujourd'hui les juifs dans leur rapport au judaïsme ?

Un premier constat s'impose. Cette expérience a fait tomber les certitudes séculaires. Elle a radicalement remis en cause les deux éléments qui servaient de cadre et de support à la vie juive, la communauté et l'autorité de la tradition.

Par ailleurs, depuis que le fait d'être juif relève du libre choix de chacun et non plus d'une évidence transmise vécue dans l'intimité du groupe, les identités individuelles et collectives se sont fragmentées et complexifiées. Les juifs ont intégré de nouvelles dimensions à leur identité juive et se sont mis à façonner celle-ci sur le mode de la diversité tout en tendant vers un objectif commun : l'intégration, voire pour certains l'assimilation. C'est ainsi que, dans un premier temps, les juifs français n'ont eu de cesse de se franciser, les juifs allemands de se germaniser, les juifs américains de s'américaniser. Avant d'être remis en cause par les événements qui viennent d'être évoqués, ces réflexes-caméléons ont été les révélateurs des changements qui s'opéraient dans les mentalités et les comportements, prouvant à ceux qui en doutaient encore que les juifs ne se coulaient plus dans les modèles d'autrefois. Aspirés par l'uniformisation des modes de vie, ils se fondent désormais dans leurs milieux d'insertion, leur visibilité se dissout dans des environnements standardisés.

Hormis pour ce qu'ils acceptent de donner à voir d'eux-mêmes, rien, de prime abord, ne distingue les juifs de leurs congénères. Qui plus est, si on devait s'en tenir aux critères traditionnels d'identité, beaucoup ne seraient plus juifs ! Chute de l'observance religieuse et de la participation communautaire, multiplication des mariages mixtes, crise de la transmission, dispersion des lieux de résidence, banalisation des prénoms et des patronymes. Autrement dit, l'intégration des juifs se mesure d'abord par défaut.

L'identité « en creux »

• *Exogamie, définition de l'identité juive et conversion au judaïsme.* — La progression de l'exogamie au sein d'un groupe minoritaire est un indicateur d'intégration qui ne trompe pas. A cet égard, on mesure le chemin parcouru par les juifs en l'espace de deux siècles lorsqu'on sait qu'un mariage sur deux en moyenne est un mariage contracté avec un/une partenaire non juif/ve. En s'unissant ainsi à des non-juifs/ves, les juifs démontrent qu'ils sont entrés de plain-pied dans leurs sociétés d'accueil. Réciproquement, en acceptant les unions avec des juifs, les membres de ces sociétés font la preuve de leur acceptation des juifs sinon de leur judéophilie.

Mais cette intégration par le mariage n'est pas sans poser le problème de la perpétuation du groupe juif. Il faut savoir en effet que les enfants nés de couples dont la femme n'est pas juive ne sont pas juifs aux yeux de la loi religieuse juive. Selon cette loi, pour être juif, il faut être né de mère juive. C'est là la définition traditionnelle de l'identité juive, la seule que reconnaissent jusqu'à ce jour les autorités religieuses juives.

Des siècles durant, cette définition a reflété l'état de la société juive ; alors, juifs et non-juifs ne se mélangeaient pas et ne souhaitaient pas se mélanger. Aujourd'hui, cependant, cette définition fait problème et ne correspond plus à la situation réelle. En excluant les enfants nés de ces couples mixtes dont la mère n'est pas juive et dont la proportion va croissant, son application risque même, à terme, de précipiter le déclin démographique d'une population, la population juive, dont le taux de natalité est déjà bas (autre signe d'intégration), plus bas même que les taux de natalité moyens des groupes majoritaires, et dont le renouvellement n'est plus assuré.

Face à cette tendance qui est peu susceptible de s'inverser et face à l'évolution des mentalités au sein de populations juives de plus en plus ouvertes sur le monde extérieur, juifs laïques et libéraux militent en faveur d'une révision de la définition de l'identité juive qui tienne compte de cette nouvelle donne, en faveur également d'un assouplissement des procédures de conversion au judaïsme.

• *La participation communautaire.* — L'affiliation et la participation communautaires accusent un net déclin. Y compris dans les pays (États-Unis, Grande-Bretagne, Allemagne) où il est d'usage de contrétiser l'appartenance par l'affiliation institutionnelle et/ou le versement d'un impôt religieux. Là aussi, on constate que ces gestes sont souvent plus formels que l'expression d'un engagement réel.

Pour une majorité de juifs, la communauté a cessé d'être le cadre effectif de la socialisation et de la sociabilité juives. Elle n'est plus leur milieu d'immersion naturel. Face à la concurrence implacable des sociétés globales, la communauté n'est plus en mesure d'assumer la fonction intégratrice/socialisatrice qui était la sienne dans le passé et doit se satisfaire d'un rôle plus modeste.

La question de la conversion

En se convertissant au judaïsme, le candidat s'engage à adopter les croyances, les pratiques et le mode de vie juif. Une fois le rituel de conversion pratiqué, il entre dans la communauté d'Israël et est considéré comme juif à part entière.

Pour les hommes, ce rituel comprend la circoncision, qui marque l'entrée dans l'Alliance d'Abraham, et le bain rituel. Pour les femmes, il ne comprend que le bain rituel.

Mais ce rituel n'est que la dernière étape d'un long processus d'initiation et d'éducation au cours duquel on commence par dissuader le candidat en lui montrant les inconvénients qu'il y a à être juif (persécutions, tentatives d'anéantissement, changement de vie, interdits multiples), pour tester sa détermination et s'assurer de la pureté et de la sincérité des mobiles qui le poussent à cette démarche. Puis, ce premier test passé, on lui enseigne les commandements de la Torah et les gestes de la pratique, qu'il s'engage à observer. Cette éducation religieuse est complétée de nos jours par des cours d'histoire juive et peut durer plusieurs mois, voire plusieurs années.

La Bible et le Talmud font état de nombreux convertis exemplaires : Ruth la Moabite, dont la tradition dit qu'elle est l'ancêtre du roi David et que c'est de sa lignée que doit descendre le Messie ; Rabbi Akiba, célèbre pharisien, grand maître du Talmud ; Onqelos, le traducteur en araméen du Pentateuque.

L'expansion du christianisme puis de l'islam ont mis fin au prosélytisme juif en l'interdisant et en le sanctionnant très sévèrement. Depuis lors, et ce jusqu'à la veille des émancipations, les autorités religieuses juives ont observé une grande prudence en la matière.

A la différence des rabbins orthodoxes et ultra-orthodoxes qui demeurent extrêmement réticents sur le chapitre de la conversion et qui, par principe, n'acceptent pas les demandes déposées en vue du mariage, à l'heure actuelle, les rabbins réformés et conservateurs répondent favorablement à ces demandes. Ils entendent ainsi rééquilibrer une démographie juive précarisée par les effets cumulés du génocide et de l'assimilation. Cette attitude positive permet d'accepter d'emblée et de reconnaître comme juifs les enfants issus de mariages mixtes dont la mère n'est pas juive.

Aux États-Unis, les conversions sont essentiellement pratiquées par des rabbins réformés et se comptent par milliers chaque année. Quant aux autorités religieuses d'Israël, d'obédience orthodoxe, elles ont été obligées d'assouplir leur position doctrinale afin de ne pas compromettre l'immigration juive, notamment celle en provenance d'Union soviétique.

La question de la conversion demeure une question sensible, une source de division et de tension qui a provoqué non seulement des crises entre courants religieux, mais aussi des crises gouvernementales (en Israël), ainsi que des crises entre les juifs américains, majoritairement de tendance réformée, et les autorités religieuses et politiques d'Israël.

La Ruth des Écritures constitue le modèle indépassable du prosélyte. N'est-ce pas à elle que sont attribuées ces paroles : « Votre peuple est mon peuple et votre Dieu est mon dieu » (Ruth I, 16) ?

La communauté organique de jadis a cédé la place à des services bureaucratisés dont la tâche consiste pour l'essentiel à répondre à la demande d'un public dont les priorités vont ailleurs. Lorsqu'ils se tournent vers elle, la plupart des juifs usent de la communauté comme d'un prestataire de services et s'adressent à elle pour satisfaire des besoins ponctuels : lors d'un mariage, d'un enterrement, d'une circoncision, ils font appel à un fonctionnaire religieux ; pour résoudre un problème particulier — le placement d'un parent malade ou âgé, l'obtention d'un prêt sans intérêt, l'insertion d'une annonce —, ils contactent un service social juif ; ils inscrivent leurs enfants dans une colonie de vacances juive pour leur donner, quelques semaines ou quelques jours par an, l'occasion de vivre dans un cadre juif et protégé hors du cadre familial ; occasionnellement, ils assistent à une cérémonie religieuse (mariage, *bar-mitsvah*, commémoration), à une conférence, à un gala de solidarité ou signent un chèque au profit d'une œuvre ; exceptionnellement, ils manifestent leur solidarité en réponse à l'appel d'une organisation juive ou mus par un besoin spontané.

Ce caractère ponctuel, discontinu, sélectif de la participation communautaire interdit en tout cas de penser le fait juif contemporain à partir du seul modèle communautaire, comme le font trop souvent encore nombre d'observateurs et d'acteurs de la vie juive. Non seulement la référence communautaire renvoie à un modèle d'organisation collective, sociale, culturelle et religieuse qui ne correspond plus à la réalité de la vie juive moderne, mais surtout elle occulte les logiques à partir desquelles les juifs recomposent leurs identités personnelles. En dehors du cercle des professionnels, des militants, des fidèles et de groupes minoritaires que nous verrons plus loin, les juifs ne se donnent plus la communauté ni pour cadre de référence privilégié ni pour cadre d'existence. Leurs cadres de vie ne leur sont plus imposés par leur appartenance ethnique ou religieuse.

Aussi le contraste est-il saisissant entre la pléthore institutionnelle de l'*establishment* juif et son relatif sous-emploi. Dans des pays à forte population juive (France, États-Unis), où les institutions juives sont nombreuses et variées quant à leurs finalités et à leurs plates-formes idéologiques ou religieuses, les responsables communautaires connaissent tous ce phénomène et sont unanimes à déplorer la désertification croissante des lieux communautaires, particulièrement marquée chez les jeunes.

Les institutions de la communauté juive en France

La communauté juive de France repose sur trois instances centrales dont chacune a vocation, dans la sphère qui lui est propre, à représenter la « communauté juive », ses dirigeants étant reconnus comme les interlocuteurs privilégiés de l'administration et des pouvoirs publics.

1) Dans la sphère religieuse, le Consistoire central, créé par Napoléon, est dirigé par un président laïc et un grand rabbin. Il a statut d'association cultuelle-loi 1901. C'est lui qui détient, en principe, le monopole de la direction spirituelle (rabbinat) et de l'administration du culte (présidence). De fait, il partage cette fonction avec diverses autres associations cultuelles plus modestes, de rites et de tendance divers.

2) Dans la sphère politique, le CRIF (Conseil représentatif des institutions juives de France) est une fédération d'institutions à la tête de laquelle siège un président élu. Créé en 1943 dans la clandestinité, il a pour mission de défendre, devant les instances gouvernementales et politiques et devant l'opinion publique française, les intérêts des juifs en matière de lutte contre l'antisémitisme. Il se prononce aussi sur des sujets en rapport avec la défense d'Israël et de ses intérêts vitaux.

3) Dans la sphère sociale, culturelle et éducative, le FSJU (Fonds social juif unifié) a été créé au lendemain de la guerre en vue de la reconstruction du judaïsme français, de l'accueil et de la réinsertion des personnes déplacées. Il coordonne et subventionne l'action sociale, culturelle et éducative. Grâce à l'apport financier de la collecte, dont la centralisation a été réalisée en 1967 sous l'égide de l'AUJF (Appel unifié juif de France), il a, en concertation avec le Consistoire, pu élargir le champ de ses activités, ouvrir des écoles, des centres communautaires, des synagogues, pour faire face à l'afflux des rapatriés d'Algérie. Son action étant reconnue d'utilité publique, il bénéficie de subventions des ministères concernés (Affaires sociales, Éducation, Culture, Jeunesse). Celle-ci s'exerce en direction des pauvres et des chômeurs (aide à l'emploi et au logement, vestiaire, santé), de l'enfance et de la jeunesse (maisons d'enfants, écoles, colonies, assistance, orientation, foyers, crèches, mouvement de jeunesse), des personnes âgées (maisons de retraite), des associations féminines et professionnelles, de la culture (édition, médias). C'est l'instance centrale du judaïsme français.

Articulées à ce dispositif, d'autres institutions complètent l'organigramme communautaire : *1)* des institutions en lien avec Israël : Agence juive, institutions sionistes, mouvements de jeunes, représentations de partis israéliens, KKL (Keren Kayemet leisrael, pour le reboisement d'Israël), Wizo (Women International Zionist Organisation), organes de coopération franco-israéliens ; *2)* des institutions internationales à but philanthropique, diplomatique, humanitaire, culturel, comme l'American Joint Distribution Committee (Joint), qui joua un rôle important au lendemain de la guerre dans l'aide aux populations juives d'Europe ; le Congrès juif mondial, qui organise le Colloque des intellectuels juifs de langue française ; le Congrès juif européen, qui coordonne des actions et des démarches en direction des responsables politiques à l'échelle européenne ; le B'nai Brith, inspiré du modèle maçonnique, qui a vocation philanthropique et culturelle ; *3)* des institutions laïques, à vocation culturelle, telle l'Alliance israélite universelle, créée en 1860 pour assurer la diffusion de la langue et de la culture françaises dans le monde juif, notamment dans les communautés juives du bassin méditerranéen où elle a développé un important réseau d'écoles, et qui gère une bibliothèque dont le fonds est unique en Europe, ainsi qu'une revue, *Les Nouveaux Cahiers*, et abrite le Collège des études juives.

La communauté comprend des comités de soutien aux juifs opprimés, des organisations antiracistes (Licra), des institutions de mémoire.

• *Sociabilités juives et « ethnicité élective ».* — Hors communauté, d'autres types de sociabilités juives trouvent des occasions de se développer. Certaines, nées dans l'épreuve, la guerre et la déportation, ou dans des circonstances exceptionnelles comme l'immigration, se sont cristallisées sous forme d'associations en marge des institutions centrales (associations d'originaires, de déportés, d'anciens combattants, de résistants).

D'autres sont le fait de la vie de tous les jours et, paradoxalement, de l'intégration elle-même. Loin de se disperser de façon aléatoire dans les différents secteurs de la société, les juifs, en s'intégrant, ont fait des choix en lien avec leurs attentes et leurs affinités propres. Peu familiers de la vie rurale, ils se sont concentrés dans les villes ; quasi absents du monde ouvrier, ils se sont retrouvés nombreux dans les classes moyennes ; après être passés par l'université, ils se sont engagés dans des filières relativement sélectives où leurs chances de se côtoyer étaient d'autant plus grandes qu'ils étaient plus nombreux à y avoir accès. Ces circonstances ont créé une situation propice à la formation puis au développement d'une sociabilité juive spécifique, non recherchée au départ. Qui plus est, ces nouveaux lieux de rencontre et d'interconnaissance (université, lieux de travail ou de loisir) en sont venus à constituer des viviers matrimoniaux qui compensent en partie les « sorties ».

Ainsi, les nouvelles proximités sociales nées des itinéraires d'intégration ont pour effet paradoxal de ralentir la progression de l'exogamie. Ce qui ne contredit pas les observations précédentes, mais montre l'autre versant de la même réalité : si un juif sur deux choisit son conjoint à l'extérieur de son groupe d'origine, un sur deux le choisit à l'intérieur de ce groupe, grâce, entre autres, à ces réseaux de sociabilité juive. Non intentionnels à l'origine, ils ont fini par produire un type inédit de lien social à mi-chemin entre le lien ethnique et le lien affinitaire ; une « ethnicité élective » fondée sur une connivence que les intéressés doivent autant à leur position sociale, culturelle, économique ou professionnelle qu'à leurs origines communes. Ce phénomène a pris une ampleur telle aux États-Unis que certains sociologues américains parlent d'« ethnoclasse ».

• *Pratique religieuse et étude.* — Les premiers effets de la modernité se sont fait sentir dans le domaine religieux. Dans la mesure où le respect de la tradition était perçu comme un obstacle à l'intégration, le choix était simple : on la laissait de côté. C'est ainsi que les juifs se sont massivement détournés de leur religion. Ils se sont non seulement détournés de sa pratique, mais aussi de l'étude de ses textes. De nos jours, hormis les habitants d'Israël, seule une minorité de juifs savent lire ou parler l'hébreu. Moins nombreux encore sont ceux capables d'étudier une page de Talmud. La plupart ne connaissent pas le sens de prières qu'ils ne sont d'ailleurs plus en mesure de réciter.

Les juifs n'ont, dans leur ensemble, conservé de leur religion que les grandes dates du calendrier juif et les pratiques jugées les moins incompatibles avec les exigences de la vie moderne. Si les grandes fêtes religieuses et les rites de passage résistent tant bien que mal, ils n'en sont pas moins touchés par la modernité. La circoncision se plie aux normes de l'aseptie moderne ; le niveau de connaissance requis pour la *bar-mitsvah* a été abaissé pour être accessible à tous et un rite parallèle à l'usage des filles, la *bat-mitsvah*, a été institué pour satisfaire au principe moderne d'égalité des sexes.

Célébrations annuelles et rites de passage doivent leur pérennité à leur caractère ponctuel, donc peu contraignant, et au fait qu'ils offrent aux familles et à leurs amis l'occasion de renouer, le temps d'une fête, les liens distendus par la vie quotidienne.

Cela étant, comme on peut s'en douter, la pratique religieuse connaît des écarts à la norme et des adaptations multiples. En dépit de sa sensible progression depuis une quinzaine d'années, la stricte observance demeure le fait d'une petite minorité. La tendance majoritaire s'en tient à des formes allégées de pratiques qui acceptent les accommodements. Les fidèles qui partagent à des degrés divers le souci de concilier leur respect de la tradition avec les exigences de la modernité, leur affirmation identitaire avec leur souci d'intégration, n'ont que l'embarras du choix entre courants conservateurs, traditionalistes, libéraux, réformés ou autres. Ce marché religieux, qui fonctionne sur le mode de la concurrence, institutionnalise ainsi la fragmentation interne tout en instaurant un pluralisme de fait.

• *Éducation juive et transmission.* — Pour diverses raisons, volonté de rupture, négligence, indifférence ou tout simplement parce qu'elles ne sont pas en mesure de le faire, de nombreuses familles juives n'assurent plus la transmission du judaïsme à leurs enfants. N'ayant eux-mêmes rien reçu en héritage, les parents n'ont, leur tour venu, peu ou rien à transmettre hormis des bribes de mémoire familiale.

Certaines familles s'en préoccupent et délèguent cette mission aux institutions spécialisées : écoles, Talmud-Torah, mouvements de jeunesse. Mais ces institutions n'attirent qu'une fraction des enfants d'âge scolaire et ne peuvent à elles seules assurer *toute* la transmission du judaïsme. Faute de relais dans le milieu familial ou l'entourage, les connaissances ainsi acquises restent le plus souvent lettre morte. Pour preuve, la plupart des enfants de familles non pratiquantes qui suivent les cours du Talmud-Torah en vue de la préparation à la *bar-mitsvah* ne remettent plus les pieds à la synagogue une fois la *bar-mitsvah* passée. Ce faible impact des institutions pédagogiques est confirmé par le fait que les élèves des écoles juives à plein temps appartiennent pour la plupart à des familles déjà engagées dans la vie juive. Force est donc de constater que l'école juive a bien plus un effet de renforcement qu'un rôle incitatif.

Mais cette démobilisation des familles à l'égard de l'école juive demande à être vue à partir d'une perspective plus globale car, avec la question scolaire, se trouve plus largement posée celle de l'intégration. Depuis les émancipations, toutes les générations juives ont été confrontées à cette question. Le choix entre école juive et école publique s'est toujours inscrit dans ce cadre. Or, pour chaque génération, les circonstances qui ont dicté les choix et les schémas d'intégration ont été différentes. Pour les générations passées, l'école juive avait, paradoxalement, un rôle intégrateur. Elle devait servir de sas de transition et faciliter l'entrée dans la société ; tout en restant immergés dans l'univers culturel sécurisant de leur milieu d'origine, les enfants y acquéraient les premiers rudiments nécessaires à leur insertion : la langue, l'histoire, la géographie du pays. Néanmoins, très vite, l'école publique devait supplanter l'école juive. Aux yeux des parents, elle offrait de meilleures chances d'insertion sociale à leurs enfants.

Aujourd'hui, la situation n'est évidemment plus la même. Aux États-Unis comme en Europe occidentale, les parents d'enfants en âge d'aller à l'école appartiennent à la deuxième, voire à la troisième génération, ou plus. Ils sont culturellement intégrés et socialement établis. Leur choix s'inscrit par conséquent dans un contexte différent, plus stable mais plus complexe.

Si le désir de transmission ou l'alternative résignée à l'école publique, supposée en crise, sont les motifs les plus fréquemment invoqués en revanche, chez certaines familles qui font le choix de l'école juive, ce choix traduit une volonté explicite de rupture avec la société globale. Il révèle une mise en question du principe même de la sécularisation et de ses valeurs, le refus de la mixité sociale, la volonté d'opérer un repli sur le communautaire. Cette tendance a commencé à se manifester vers la fin des années soixante-dix, période à laquelle nous allons nous intéresser maintenant.

Cet inventaire des signes d'identité en creux étant fait, une question se pose : face au constat de l'effacement progressif de leurs particularismes et face à la menace pour l'avenir que représente la crise de la transmission, que reste-t-il aux juifs pour recomposer la dimension juive de leurs identités ? Car il faut bien se rendre à l'évidence que la plupart des juifs demeurent juifs et revendiquent leur judéité.

Les nouveaux référents identitaires

Les identités juives contemporaines se construisent essentiellement autour de quatre pôles ou références : Israël, l'antisémitisme, l'ethno-religieux, la mémoire.

• *Israël.* — Depuis sa création en 1948 et plus encore depuis la guerre des Six Jours, la centralité d'Israël dans la vie juive n'est pas contestable. Israël est devenu le premier pôle de cristallisation de l'identité juive. Pour beaucoup, il a remplacé la synagogue et le rite, et l'unanimisme qui l'entoure en a fait le plus puissant élément de cohésion du judaïsme d'après-guerre, manifestations, collectes, galas de solidarité apparaissant comme les derniers rituels susceptibles de mobiliser massivement les juifs. Cette situation prévaut jusqu'à la fin des années soixante-dix, période à partir de laquelle elle connaît des évolutions sensibles.

Dès l'après-guerre de Kippour, en effet, Israël commence à voir les mythes sur lesquels il a construit son image s'effondrer un à un. Les conclusions des commissions d'enquête sur les défaillances de son armée (guerre de Kippour, Sabra et Chatilla), des opérations militaires contestées (guerre du Liban), l'occupation et la multiplication des implantations juives dans les territoires conquis en 1967, la répression de l'Intifada, la montée du terrorisme juif semblent se conjuguer pour ternir l'image du pays et de sa démocratie et mettre fin aux mythes de l'invincibilité de l'armée et de la « bonne occupation ». De son côté, en mettant fin à trente ans de direction travailliste, la victoire électorale de Begin en 1977 a signé l'échec du projet de société qui avait accompagné les débuts de l'État. Enfin, la récupération d'un certain mécontentement populaire par des partis ethniques et la montée de courants xénophobes ont mis à mal le mythe d'une société fondée sur l'unité, la justice, la tolérance. A l'image d'une société unie s'est substituée celle d'une société divisée, d'une armée exemplaire celle d'une armée d'occupation capable d'exactions, d'un peuple ennemi de la violence celle d'un peuple confronté aux excès de ses propres extrémistes. Cette banalisation d'Israël a entamé l'inconditionnalité d'une diaspora dont le soutien avait été jusque-là sans faille.

De fait, les juifs de diaspora ont opéré un recentrement. Les jeunes générations n'ont plus envers Israël l'élan de ferveur qui avait caractérisé la génération précédente. L'idéal pionnier n'est plus d'actualité et la survie du pays n'apparaît plus menacée. Israël fait désormais partie de l'environnement affectif des juifs qui ont mille raisons de lui être attachés. Mais, plus individualistes et centrés sur eux-mêmes que leurs aînés, ils n'en font plus un enjeu existentiel de chaque instant. Cela étant, malgré la banalisation qui s'installe au fur et à mesure que son avenir semble plus assuré, Israël n'en demeure pas moins un référent central de l'identité juive, prêt à être réinvesti si les circonstances l'exigent.

• *L'antisémitisme.* — Au lendemain du génocide, beaucoup pensèrent que l'antisémitisme serait disqualifié à jamais. La suite de l'histoire, on le sait, a infirmé cet espoir. Quoique en diminution sensible dans les démocraties libérales, l'antisémitisme n'est pas mort. Il continue à sévir, y compris là où il n'y a pas ou plus de juifs. La remontée des partis d'extrême droite et la réémergence des nationalismes consécutive à l'implosion du bloc de l'Est ont coïncidé avec la multiplication d'incidents à caractère antisémite ou xénophobe, confirmant par là son caractère permanent, apparemment non éradicable.

Face à cette situation, les juifs n'ont pas d'autre choix qu'assumer leur judéité, fût-elle imposée de l'extérieur, indépendamment des contenus qu'ils lui donnent et de la place qu'ils lui accordent dans leur existence. Malgré le peu d'espoir d'en venir à bout, la lutte contre l'antisémitisme et la xénophobie reste donc actuelle. Ce motif de mobilisation trouve fort heureusement des relais dans les opinions publiques de sociétés hantées par le souvenir de la dernière guerre et de ses atrocités et préoccupées par une actualité lourde de menaces pour les minorités.

• *L'ethno-religieux et le repli identitaire.* — Dès le lendemain des émancipations et tout au long du XXe siècle, c'est-à-dire au plus fort de la période où les juifs démontraient leur volonté d'intégration, des îlots réfractaires exprimaient leur refus de la modernité, ne négligeant, nous l'avons vu, aucun moyen pour se préserver des influences jugées nocives. Ultra-minoritaires, ces groupes étaient sur le déclin lorsque de nouveaux courants orthodoxes ont émergé et commencé à prendre une certaine ampleur à partir des années soixante-dix.

A la différence de leurs prédécesseurs, pourtant, les courants orthodoxes actuels s'enracinent dans la modernité. Loin d'être des marginaux en mal d'intégration, leurs adeptes ont fréquenté l'école, voire l'université et sont issus, pour la plupart, des classes moyennes sécularisées. Cadres ou ingénieurs, certains occupent même des postes de haut niveau dans le privé ou l'administration. Presque tous ont été recrutés par des « missionnaires » juifs.

Les raisons de leur attirance vers une religiosité radicale sont les mêmes que celles observées ailleurs : la désillusion née de la non-réalisation des promesses de la modernité, la recherche de sens et de certitudes, l'aspiration à un monde ordonné, normé, conforme aux exigences d'un code moral et social rigoureux, le besoin de se réapproprier une identité en se réinscrivant dans une lignée croyante au sein d'une communauté forte et structurée.

Des missionnaires juifs en milieu juif : les loubavitch

Le mouvement loubavitch doit sa formidable expansion au charisme exceptionnel de son dernier dirigeant, rabbi Schneersohn (1902-1994), l'héritier spirituel du fondateur du mouvement, Chneour Zalman de Lyady (1745-1813).

Les loubavitch se distinguent des autres courants hassidiques par la place qu'ils accordent à l'étude et par leur prosélytisme en milieu juif dont ils ont fait leur objectif prioritaire.

Installé aux États-Unis depuis deux générations, l'état-major du mouvement a lancé, sous l'impulsion du rabbi, un vaste programme de rejudaïsation de la jeunesse juive. Cette campagne doit son succès à une stratégie de marketing particulièrement offensive et efficace : envoi d'émissaires à travers le monde ; formation, prise en charge et encadrement des néophytes ; production et diffusion de matériel pédagogique (brochures, lettres du rabbi, cassettes magnétiques, disquettes vidéo, programmes relayés par satellites). Pour donner plus de poids à son message, le rabbi n'hésitait pas à utiliser sa propre image et sa propre personne, des foules se pressant à sa porte pour le voir, le toucher ou lui demander conseil. Ses prises de position sur des sujets politiques, scientifiques, éthiques et religieux, ses rencontres avec des personnalités politiques, scientifiques ou autres ont fait de lui un acteur central de la vie juive dont l'influence dépassait très largement les seuls milieux juif et orthodoxe.

Contesté, voir haï et tenu pour hérétique par les uns, adulé et tenu pour le messie par d'autres, il a transformé son mouvement en une entreprise moderne de dimension internationale au service de la promotion d'une certaine idée de la tradition juive et du judaïsme.

La néo-orthodoxie a opéré une percée sensible dans le monde juif depuis les années soixante-dix. Sur tous les continents, elle a su gagner à sa cause une fraction de la jeunesse juive grâce à la force de conviction de ses émissaires et à la chaude cordialité de ses communautés au sein desquelles se tisse un lien social fort. L'échec des idéologies séculières a, elle aussi, contribué à son succès. Il suffit d'observer les itinéraires de certains gauchistes devenus ultra-religieux.

Leur volontarisme et leur zèle militant ont valu aux néo-orthodoxes d'imposer leur présence sur de nombreux fronts de la vie communautaire juive. Leur stratégie de pénétration dans les institutions juives centrales leur a permis d'investir des domaines importants, dont celui de l'éducation. Si leur radicalisme religieux est loin d'emporter l'adhésion générale, leur présence visible au cœur des villes et des banlieues s'est banalisée et n'y apparaît plus insolite.

Ce mouvement de rejudaïsation a profité d'une conjoncture favorable. Porté par la vague messianique consécutive à la guerre des Six Jours, il s'inscrit plus largement dans la mouvance contre-culturelle des années soixante-dix qui a vu la formation des premières communautés charismatiques chrétiennes.

A la même époque, d'autres thèmes importés d'Amérique, tels que le multiculturalisme, l'ethnicité, le différentialisme, devaient rencontrer un certain écho en Europe. En cette période de prospérité et de plein emploi, la crise n'avait pas encore fait dériver le débat public autour des questions liées à l'immigration, aux minorités et à la menace supposée que leur présence, notamment celle de l'islam, ferait peser sur les identités nationales.

A la faveur de ces nouvelles thématiques et des mouvements sociaux qui se sont cristallisés autour, un judaïsme à caractère « ethnique » a commencé à se donner à voir et à entendre à son tour. Particulièrement visible en France en raison de la forte composante nord-africaine de sa population juive, il s'y est en partie confondu avec la montée du religieux.

Une néo-orthodoxie à coloration ethnique

A leur arrivée en France, les juifs sépharades ouvrent des synagogues où ils peuvent prier selon leurs rites, des restaurants et des magasins d'alimentation où ils peuvent renouer avec les coutumes et les saveurs de leurs pays d'origine. Peu à peu, une « rue juive » fait ou refait son apparition dans d'anciens quartiers juifs et dans les banlieues nouvelles. Certains ne viennent que pour s'y approvisionner ou se ressourcer, d'autres s'y installent, notamment les jeunes couples néo-orthodoxes, d'origine nord-africaine pour la plupart, attirés par les services communautaires de proximité (crèches, écoles, synagogues, bains rituels, commerces) qu'ils y trouvent. Peu à peu, le tissu social se resserrant et le travail d'autosélection opérant, ethnicité et orthodoxie religieuse finissent par se confondre dans ces îlots au particularisme ethno-religieux.

Pendant ce temps et de leur côté, des universitaires commencent à s'intéresser aux récits de vie et, plus largement, aux formes contemporaines de la vie juive. Des travaux sont publiés, portés à la connaissance d'un public curieux et concerné. Ces entreprises, qui n'ont souvent pour seul point commun que la démarche intellectuelle et l'intérêt pour les multiples formes du vécu juif, confortent « par le haut » le mouvement de réethnicisation qui se dessine sur le terrain et qui intervient après des décennies d'évolution en sens inverse.

Ces nouveaux îlots urbains ne sont pourtant pas des ghettos fermés. Ils restent ouverts sur la cité et leurs membres participent des deux. Ils sont juifs et modernes à la fois. Leurs enfants, élèves de l'école juive, suivent la même mode et écoutent la même musique que les autres jeunes de leur âge.

Leurs effectifs pèsent peu au regard de l'ensemble de la population juive, mais la visibilité qu'ils se donnent, l'écho complaisant qu'ils rencontrent auprès des médias, l'intérêt qu'ils suscitent chez les intellectuels n'en produisent pas moins un effet d'amplification qui fait écran et occulte ce qui reste malgré tout la tendance lourde du judaïsme contemporain, à savoir la continuation tranquille de son processus de sécularisation.

Dans des pays de tradition anglo-saxonne comme les États-Unis ou la Grande-Bretagne, où la présence de « communautés » est acceptée et tenue pour légitime, l'identification des juifs à une communauté d'appartenance, d'origine, de culture ou de croyance ne fait pas problème. La France, en revanche, en raison de son héritage jacobin et de sa tradition laïque et assimilationniste, accepte difficilement ces phénomènes de réidentifications communautaires.

Malgré leur visibilité, on aurait tort cependant de voir dans ces recompositions communautaires l'image emblématique du « judaïsme postmoderne ». Si ces tendances restent minoritaires et peu susceptibles d'inverser un processus de sécularisation dont la forme et les contenus sont, il est vrai, différents de ce qu'ils étaient une ou deux décennies auparavant, on aurait tort cependant de les ignorer et de minimiser leur influence effective sur les évolutions d'ensemble du judaïsme contemporain.

• *La mémoire.* — Le retour de la mémoire offre à l'identité juive de nouveaux moyens d'expression. Son surinvestissement apparaît comme une compensation au vide laissé par l'abandon des formes traditionnelles de la vie juive. Ce nouvel intérêt pour tout ce qui est susceptible de « faire mémoire » se veut témoignage et affirmation par d'autres voies de la fidélité au judaïsme et à son héritage.

La réappropriation du passé par la mémoire s'opère sur divers registres. De la production universitaire à l'édition, elle emprunte les voies de l'écrit et passe par la création de chaires ou de départements d'études juives dans les établissements d'enseignement supérieur ou de recherche, par la création de maisons d'édition, de collections, de revues spécialisées dans la publication, la réédition ou la traduction d'œuvres romanesques ou biographiques, de travaux documentaires ou savants.

Poursuivant un objectif parallèle, un important travail de muséographie et de restauration a été entrepris : ouverture de musées juifs abritant des collections juives reconstituées, organisation d'expositions et de manifestations culturelles, restauration de bâtiments, de quartiers juifs. D'anciens lieux de la vie juive laissés à l'abandon se voient ainsi transformés en de nouveaux lieux de mémoire pour les juifs.

Ces lieux jalonnent l'Europe, l'Afrique et l'Asie. Ils tracent des itinéraires de mémoire à l'assaut desquels se lancent les pèlerins juifs d'aujourd'hui. Tombes de saints juifs du Maroc, anciennes synagogues d'Europe (Prague, Cracovie, Dubrovnik, Tolède, Cordoue) ou d'Afrique du Nord (Djerba), camps d'extermination de Pologne ou d'Allemagne sont les nouvelles destinations d'un véritable tourisme spécialisé qui s'organise autour de la mémoire juive, de cette mémoire tronquée, éclatée et plurielle en quête des traces palpables du passé. Vers elles convergent mémoires individuelles, mémoires familiales, mémoires collectives. Par leur présence sur ces lieux, les héritiers, enfin redevenus les dépositaires de toutes ces strates de mémoires confondues et retrouvées, entendent renouer les fils du temps.

Ces entreprises de sauvetage des traces d'un passé que la vie juive a déserté, ces tentatives d'exhumation d'une mémoire supposée menacée par l'oubli et l'indifférence s'affirment comme autant de pratiques de survie et de substitution qui tendent à combler l'absence des pratiques traditionnelles, donnant ainsi des formes et des contenus inédits à l'identité et à l'appartenance juives.

Comme on peut s'y attendre, la mémoire du génocide figure en bonne place parmi ces pratiques commémoratives. Elle est même devenue au cours des ans un des référents identitaires incontournables du judaïsme d'après-guerre, un de ses principaux thèmes de mobilisation, au point qu'elle est en passe de supplanter Israël dans sa capacité de mobilisation des juifs.

L'événement génocide a pris rang, dans la conscience collective juive d'après-guerre, aux côtés des grands événements dans lesquels l'identité juive s'est coulée et fixée une fois pour toutes, c'est-à-dire des événements, mythiques et/ou historiques fondateurs du judaïsme au travers desquels les juifs se reconnaissent comme juifs et auxquels ils s'identifient par-delà le temps et l'espace. Ainsi, le génocide a pris place aux côtés d'événements rapportés par la Bible tels que l'Exode ou la Révélation sinaïtique, ou encore d'événements historiques tels que l'expulsion d'Espagne ou, plus proche de nous, la création de l'État d'Israël.

Ce faisant, la mémoire juive du génocide est devenue la mémoire d'un événement dont la dimension mythique (dans le sens noble du terme) et identificatoire s'est imposée avant même qu'il lui soit donné le temps d'entrer dans l'histoire et d'être appréhendé en tant que fait historique. Or, ce télescopage entre la mémoire et l'histoire n'a pas fini de déployer tous ses effets et de donner prise à des instrumentalisations multiples.

Côté juif, on voit s'accumuler et se constituer les éléments d'une quasi-religion de substitution. Une mémoire autorisée, orthodoxe, du génocide s'est progressivement articulée autour d'un corpus constitué à partir de témoignages, de chiffres et de signes ; autour de lieux, à commencer par les camps de la mort qui, s'ils ne sauraient être assimilés à des lieux saints, n'en sont pas moins sacralisés par la mémoire en raison de la force d'évocation concrète qu'ils portent en eux ; mais aussi autour de lieux de mémoire symboliques érigés non pas là où les juifs ont péri mais là où les juifs vivent encore et sont à même de perpétuer la mémoire, tels les mémoriaux édifiés à Jérusalem, Paris et Washington. Le génocide a ses hagiographes et ses grands prêtres, sa liturgie, ses rituels commémoratifs, ses dates au calendrier.

A partir de ces éléments s'est progressivement constituée une lignée de fidèles dont l'identité juive tient parfois à un seul et unique objet : la *shoah**. Être juif et persister dans l'être juif, ne serait-ce que par la mémoire, survivre en tant que juif, c'est là, selon eux, la réponse symboliquement la plus forte à opposer au projet nazi d'anéantissement des juifs et du judaïsme.

Mais le génocide nourrit aussi la réflexion des philosophes et des théologiens, juifs et non juifs, qui, à partir de cette expérience extrême du mal, s'interrogent sur le sens de l'existence, sur Dieu, son existence et le sens de son silence, sur l'homme et le sens de la responsabilité, sur la modernité et le progrès. Juifs ou chrétiens, croyants ou agnostiques, tous se demandent si, après Auschwitz, on peut penser et croire comme avant Auschwitz. Tous, évidemment, n'apportent pas des réponses identiques à ces questions.

Enjeu de mémoires conflictuelles (polonaises et juives) cristallisatrices d'identités, enjeu de légitimation symbolique et politique (voir l'instrumentalisation bilatérale du génocide dans le conflit israélo-arabe) ; enjeu de mémoire et de savoir plaçant témoins et historiens dans un face-à-face parfois douloureux ; enjeu de savoir et de fidélité plaçant l'historien en porte à faux face à un événement devenu mythique et intouchable avant même d'être entré dans l'histoire ; enjeu de transmission et de fidélité à la mémoire des victimes, le génocide est tout cela à la fois, plus présent et plus taraudant que jamais quant à la signification et à la place qui lui reviennent dans l'histoire et la conscience universelles. Mythe fondateur d'une époque dominée par une technologie dont on sait désormais qu'elle est capable du meilleur et du pire, paradigme universel de tous les génocides, de ceux qui l'ont précédé comme de ceux qui déjà l'ont suivi.

Sans doute est-on en droit de craindre les effets pervers de ce que d'aucun nomment le *shoah business*. Pourtant, les gardiens de la mémoire juive savent une chose : la survie de la mémoire juive est au principe même de la survie des juifs et du judaïsme. Or, si les juifs ne sont pour la plupart plus en mesure de perpétuer et de transmettre les gestes de la tradition, les générations à venir doivent être assurées de recevoir en héritage ne serait-ce que la mémoire d'époques où ces gestes et ces traditions étaient encore choses vivantes. La mémoire devient ainsi une fin en soi, un devoir sacré ; elle demeure la dernière ressource dont ils disposent, le dernier moyen qui leur reste d'échapper, en tant que juifs, à cette seconde mort, plus irréversible encore que la vraie mort, qu'est l'oubli.

Pour autant, les contenus de sens des nouveaux référents identitaires que sont Israël, l'antisémitisme ou la survie par la mémoire (désigné par certains sous l'appellation de *survivalisme*) restent partiellement externes au judaïsme et au vécu juif. Ils n'invitent qu'à des pratiques intermittentes et ponctuelles. Contrairement aux recompositions communautaires à contenus ethno-religieux, ils n'engagent pas les acteurs dans un mode de vie intégralement vécu sur le mode juif. Ils s'insèrent entre les rubriques d'un agenda social, professionnel et mondain où la dimension juive de l'identité n'est jamais qu'une dimension parmi d'autres, où le fait d'être juif n'est pas nécessairement déterminant dans toutes les circonstances de la vie et n'unifie plus une vision totalisante du monde, où la conscience de la judéité se mêle et s'articule à des appartenances et à des engagements qui mobilisent d'autres valeurs et d'autres références, composant au bout du compte un tableau éclaté, fait d'une multitude d'itinéraires individuels qui se croisent, se mêlent ou s'éloignent les uns des autres.

Mais nous avons vu aussi que tous les juifs n'adhéraient pas à cette vision compartimentée et fragmentée de l'identité ni à ce type de judaïsme à la carte ; que certains, minoritaires mais dynamiques, en appelaient à une conception holiste et aspiraient à une revitalisation interne de la vie juive. Ceux-là réintroduisent au centre de leur représentation du judaïsme les composantes originelles de l'identité juive, à savoir sa double dimension ethnique-communautaire et religieuse. Mais ils réintroduisent aussi une vision de l'homme qui rompt avec le principe d'autonomie sur lequel se fonde l'individualisme propre à la modernité occidentale.

Conclusion

Les voies de l'intégration restent sinueuses pour les juifs. Tout comme leurs rapports au judaïsme et à sa tradition, qui ont connu des hauts et des bas. Après avoir été séduits par l'assimilation et la perspective de voir la part juive de leur identité se dissoudre dans les cultures ambiantes, les juifs ont changé de cap et manifestent désormais une conscience plus affirmée de leur appartenance. Certains entendent même lui redonner des contenus auxquels les générations passées, encore sous le charme de la modernité, avaient renoncé.

Comme par le passé, les identités juives contemporaines se construisent à partir de références et de symboles puisés dans la tradition. Aujourd'hui, cependant, les instances traditionnelles ne sont plus en mesure de contrôler ces réappropriations ni les nouveaux rituels qui se créent. Les juifs entretiennent un rapport de plus en plus individualisé à leur tradition. C'est là le propre de la modernité religieuse en général et de la modernité juive en particulier. Par ailleurs, l'inscription identitaire se joue, nous l'avons vu, sur différents terrains à la fois, sur celui du religieux, bien sûr, mais aussi sur ceux de la culture, de l'éthique, de l'ethnique, du politique. Guidé par sa subjectivité propre autant que par son histoire personnelle, chacun devient son propre décideur et s'invente un judaïsme à la carte.

Enfin, l'hypothèse maintes fois réaffirmée de l'effacement des appartenances ethniques ou infranationales face à l'avancée de l'État, du libéralisme, de la mondialisation demande, nous l'avons vu, à être nuancée. Certes, les traits spécifiques de la singularité juive s'estompent et les juifs présentent la même vulnérabilité que la plupart des minorités confrontées aux effets laminants de la sécularisation et de la standardisation des modèles culturels. Mais, plus que leur disparition progressive, c'est une recomposition des termes de l'identité et de l'appartenance juives qu'on observe. Le sens de l'appartenance, la culture commune ne sont plus donnés ni reçus par le biais de la transmission intergénérationnelle et dépendent désormais des libres choix de chacun. Lesquels s'opèrent sur un mode sélectif et ponctuel, en fonction des affinités personnelles. Cette configuration du rapport des juifs au judaïsme, à la fois identité sélective et ethnicité élective, s'inscrit en même temps dans une relation d'ouverture sur l'extérieur et de recherche d'équilibre. D'un côté, les juifs réaffirment leur pleine appartenance à leur société d'insertion et participent aux affaires de la cité ; de l'autre, ils réaffirment leur besoin de filiation et leur souci de s'inscrire dans une lignée de mémoire dont ils s'attachent à renouer les fils, quitte à les réinventer s'il le faut. Ce sont là les nouveaux paramètres de la modernité juive, fragiles à n'en pas douter et auxquels il reste à s'éprouver dans la durée, mais qui n'en rompent pas moins avec la logique d'assimilation.

Ce faisant, la présence des juifs et du judaïsme au monde s'en trouve-t-elle affectée ? Il ne fait aucun doute que la « question juive » telle que la posait l'émancipation est loin d'avoir trouvé toutes ses réponses. Il est tout aussi certain que les clés de ces réponses ne sont pas entre les mains des seuls juifs. Elles dépendent, l'histoire de ce siècle nous l'a rappelé, du type d'espace d'expression et de représentation que les États modernes entendent donner aux juifs en tant qu'individus et groupes.

En tant qu'individus, l'affaire est en principe entendue : les juifs sont égaux en droits et entendent le demeurer là où ils ont fait le choix de vivre. En tant qu'entité collective, tout dépend de la définition légale et du statut juridique dont chaque pays ou État entend les faire bénéficier : communauté confessionnelle, minorité ethnoreligieuse, nationalité. Chaque pays est, on le sait, l'héritier de traditions qui tolèrent plus ou moins la différence et le pluralisme.

Peuple, nation, communauté, citoyens ? Les juifs sont et ont été tout cela. Étant bien entendu que chacun de ces termes s'inscrit dans un registre qui lui est propre. Le *peuple* juif transcende l'histoire et le politique en tant qu'il réfère à un absolu religieux et spirituel ; la *nation* juive, réincarnée sous une forme nouvelle dans l'État d'Israël, renvoie à l'époque, d'autant plus glorieuse et symboliquement forte qu'elle fut éphémère, des rois d'Israël et de Juda ; la *communauté* juive a connu la rude épreuve de la traversée de l'histoire dans des espaces éclatés ; quant à la *citoyenneté*, c'est l'aventure juive de la modernité. Une aventure que les juifs aspirent à vivre sereinement au sein des nations, qu'ils vivent avec passion, et douleur parfois, dans le pays de leurs lointains ancêtres. Expression d'un certain rapport à soi et au monde informé par une loi et une tradition, le judaïsme, dont nous avons tenté de tracer les contours à partir de ces quelques repères, est tout à la fois ce dépôt précieux et cette réalité vivante que, de génération en génération, les juifs se sont évertués à réinventer chaque fois au moins autant qu'à transmettre.

Glossaire

amoraïm (araméen) : interprètes de la michnah.

cacher(ère) (yiddish : *kosher*) : conforme aux dispositions religieuses en matière d'alimentation (*cacherout*).

diaspora : dispersion et exil.

erouv : corde ou fil de fer tendu entre des poteaux afin de définir un espace (dans une ville) à l'intérieur duquel il est permis de porter des objets le chabbat.

etrog : cédrat. Une des quatre espèces utilisées pour le rituel de souccot.

gaon (*geonim*) : titre honorifique donné aux chefs des académies babyloniennes à l'époque post-talmudique.

genizah : entrepôt pour les objets rituels (*mezouzzot**, *tefilin**, livres de prières, rouleaux de la Torah) hors d'usage.

goy (*goyim*) : gentils, peuples, nations, non-juifs.

haggadah : partie légendaire de la littérature rabbinique. Récit de la sortie d'Égypte.

'halah : portion de pâte prélevée en souvenir du temple de Jérusalem. Par extension, pain du chabbat duquel a été prélevée une portion de pâte équivalant à la taille d'une olive.

halakhah : partie juridique de la littérature rabbinique.

haskalah : mouvement des Lumières juives.

'hassid (*'hassidim*) : homme pieux. Adepte du mouvement piétiste 'hassidique.

'heder : pièce, par extension salle de classe, école.

kahal, kehilah, edah : communauté juive.

loulav : ensemble des trois espèces utilisées pour le rituel de Souccot comprenant une palme de dattier, de la myrte et du saule.

mezzouzah (*mezzouzot*) : boîtier enfermant un parchemin sur lequel sont manuscrits des passages de la Bible que l'on fixe au montant des portes des demeures juives.

michnah : compilation des discussions juridiques réalisée par les *tannaïm** et mise par écrit sous la direction de Judah Hanassi. Elle constitue la base du Talmud.

minhag : coutume ayant valeur de loi religieuse.

mynian : quorum de dix hommes juifs adultes ayant fait leur bar mitsvah, requis pour constituer une assemblée de prière.

mitnaged (*mitnagdim*) : littéralement, opposant. Opposants au 'hassidisme constitués en un courant ultra-religieux.

mitsvah (*mitsvot*) : commandements bibliques et rabbiniques.

rav, *rabbi* : savant en matière religieuse, maître spirituel. A l'origine, le rabbin était un savant, un docteur de la Loi, un juge qui devait être ordonné rabbin. En diaspora, l'ordination a disparu et les rabbins sont nommés.

sanhedrin : haute cour de justice en fonction à l'époque du second Temple dont l'origine et l'étendue des fonctions restent partiellement obscures. En 1807, Napoléon réunit un « sanhédrin », de fait une assemblée de notables, appelé à se prononcer sur une liste de douze questions portant sur la compatibilité entre les lois juives et la société française.

seder : littéralement, « ordre ». Rituel de Pessa'h au cours duquel on lit le récit de la sortie d'Égypte.

savoraïm (araméen) : maîtres babyloniens qui succèdent aux *amoraïm**.

shoah : littéralement, catastrophe. Terme utilisé pour désigner le génocide juif. Il convient mieux que le terme « holocauste », dont la connotation religieuse est particulièrement déplacée dans ce contexte.

Souccah : cabane de branchages et de bois construite à l'occasion de la fête de Souccot et dans laquelle les juifs pratiquants prennent leurs repas pendant les huit jours que dure la fête.

shtetl (yiddish) : bourgade juive d'Europe centrale et orientale.

talit : châle de prière.

talmud torah : école primaire religieuse. De nos jours, cours de préparation à la bar (bat)-mitsvah.

tannaïm (araméen) : auteurs de la *michnah** qui mirent la loi orale par écrit. Ils précèdent les *amoraïm**.

tefilin : phylactères. Petits boîtiers de cuir contenant des parchemins sur lesquels figurent des passages de la Torah (Exode 13, 1-10, 11-16 ; Deutéronome 6, 4-9, 13-21) que les hommes fixent au front et au bras gauche à l'aide de lanières de cuir, pour la prière du matin.

tsaddik : homme juste, pieux et croyant. Dans les communautés 'hassidiques, intercesseur charismatique.
tsitsit : franges rituelles fixées aux quatre coins du *talit**, de façon à être vues.
yad vashem : mémorial du génocide érigé à Jérusalem. Comprend également un important centre de recherches sur le génocide.
yechivah : académie ou école talmudique.

Annexes

LES JUIFS DANS LE MONDE
(Estimation 1994)

Régions	*Nombre absolu*	%
Monde	13 001 700	100,0
Diaspora	8 560 600	65,8
Israël	4 441 100	34,2
Amérique, total	6 465 400	49,7
Nord	6 035 000	46,4
Centre	53 200	0,4
Sud	377 200	2,9
Europe, total	1 796 700	13,8
Union européenne	1 016 700	7,8
ex-URSS	657 000	5,1
autre et Balkans	103 100	0,8
Asie, total	4 535 600	34,9
Israël	4 441 100	34,2
ex-URSS	72 000	0,5
Afrique, total	107 400	0,8
Nord	8 900	0,0
Sud	98 500	0,8
Océanie	96 600	0,8

Source : *American Jewish Year Book*, The American Jewish Committee, New York, 1995.

Les juifs en Amérique
(Estimation fin 1994)

Pays	*Nombre de juifs*	*Juifs/1 000 hab.*
Canada	360 000	12,2
États-Unis	5 675 000	21,6
Total Amérique du Nord	*6 035 000*	*20,6*
Antilles néerlandaises	300	1,3
Bahamas	300	1,0
Costa Rica	2 500	0,8
Cuba	700	0,1
Salvador	100	0,0
Guatemala	1 000	0,1
Iles Vierges	300	2,7
Jamaïque	300	0,1
Mexique	40 800	0,4
Panama	5 000	1,9
Porto Rico	1 500	0,4
Rép. dominicaine	100	0,0
Total Amérique centrale	*53 200*	*0,3*
Argentine	208 000	6,0
Bolivie	700	0,1
Brésil	100 000	0,6
Chili	15 000	1,0
Colombie	5 000	0,1
Équateur	900	0,1
Paraguay	900	0,2
Pérou	2 900	0,1
Surinam	200	0,4
Uruguay	23 600	7,4
Venezuela	20 000	0,9
Total Amérique du Sud	*377 200*	*1,2*

Source : *American Jewish Year Book*, The American Jewish Committee, New York, 1995.

LES JUIFS EN EUROPE
(Estimation fin 1994)

Pays	*Nombre de juifs*	*Juifs/1 000 hab.*
Allemagne	55 000	0,7
Autriche	8 000	1,0
Belgique	31 800	3,1
Danemark	6 400	1,2
Espagne	12 000	0,3
Finlande	1 300	0,3
France	530 000	9,1
Grèce	4 500	0,4
Irlande	1 300	0,4
Italie	30 000	0,5
Luxembourg	600	1,5
Pays-Bas	26 500	1,7
Portugal	300	0,0
Royaume-Uni	294 000	5,0
Suède	15 000	1,7
Total Union européenne	*1 016 700*	*2,7*
Gibraltar	600	19,4
Norvège	1 200	0,3
Suisse	18 000	2,6
Autre	100	0,2
Total autre Europe occidentale	*19 900*	*1,3*
Biélorussie	35 000	3,4
Estonie	3 100	2,1
Lettonie	15 200	6,1
Lituanie	6 500	1,8
Moldavie	12 200	2,8
Russie	375 000	2,6
Ukraine	210 000	4,0
Total ex-URSS Europe	*657 000*	*3,0*
Bosnie-Herzégovine	200	0,1
Bulgarie	1 600	0,2
Croatie	1 300	0,3
Hongrie	54 500	5,3
Pologne	3 500	0,1
République tchèque	2 200	0,2
Roumanie	14 500	0,6
Slovaquie	3 800	0,7
Slovénie	100	0,1
Turquie	19 400	0,3
Yougoslavie	1 900	0,2
Autre	100	0,0
Total autre Europe Est et Balkans	*103 100*	*0,6*

Source : *American Jewish Year Book*, The American Jewish Committee, New York, 1995.

Repères bibliographiques

Période biblique et histoire juive

La Bible (trad. du texte original par les membres du rabbinat français sous la direction de M. Zadoc Kahn), Tel-Aviv, Sinaï, 1974.

FLAVIUS JOSÈPHE, *Les Antiquités juives*, Cerf, Paris, 1992 (livres I-III), 1995 (livres IV-V).

FLAVIUS JOSÈPHE, *La Guerre des Juifs*, Paris, 1977 (trad. P. Savinel).

« Esquisse de l'histoire du peuple juif », *in Dictionnaire encyclopédique du judaïsme*, Cerf, Paris, 1993 (on pourra également consulter la partie « dictionnaire du judaïsme » dans le même ouvrage).

BARON S.W., *Histoire d'Israël*, PUF, Paris, 1956-1986, 5 vol. (histoire sociale et religieuse).

LEMAIRE A., *Histoire du peuple hébreu*, PUF, « Que sais-je ? », Paris, 1992.

NEHER André et Renée, *Histoire biblique du peuple d'Israël*, Adrien Maisonneuve, Paris, 1962, 2 vol. (récit fidèle au canon juif).

ROTH Cecil, *Histoire du peuple juif*, Paris, 1963.

SCHMIDT Francis, *La Pensée du temple. De Jérusalem à Qoumran*, Seuil, Paris, 1994.

Judaïsme traditionnel : du Moyen Age à l'émancipation

ABECASSIS Armand, *La Pensée juive*, Le Livre de poche, Paris, 1987, 2 vol.

BLUMENKRANZ Bernhard, *Juifs et Chrétiens dans le monde occidental, 430-1096*, Paris-La Haye, 1960.

COHEN A., *Le Talmud*, Payot, Paris, 1982.

DAHAN Gilbert, *Les Intellectuels chrétiens et les juifs au Moyen Age*, Cerf, Paris, 1990.

DAHAN Gilbert, *La Polémique chrétienne contre le judaïsme au Moyen Age*, Paris, 1991.

GUGENHEIM Ernest, *Les Portes de la Loi. Études et Responsa*, Albin Michel, Paris, 1982.

HIRSH Samson Raphael, *Dix-Neuf Épîtres sur le judaïsme*, Cerf, Paris, 1987 (trad de l'allemand par Maurice-Ruben Hayoun ; préf. de Josy Eisenberg).

KRIEGEL Maurice, *Les Juifs à la fin du Moyen Age dans l'Europe méditerranéenne*, Paris, 1979.

MOPSIK Charles (dir.), *Autorité et controverse dans le judaïsme*, Pardès, 12/1990.

SCHWARZFUCHS Simon, *Kahal. La communauté juive de l'Europe médiévale*, Paris, 1986.

STRACK H. L. et STEMBERGER G., *Introduction au Talmud et au Midrash*, Paris, Cerf, 1986, trad. et adapt. au français par M. R. Hayoun (ouvrage dense destiné à un public très motivé). Pour une version allégée et plus accessible voir HAYOUN M. R., *La Littérature rabbinique*, PUF, « Que sais-je ? », Paris, 1990.

TRIGANO Shmuel (sous la dir. de), *La Société juive à travers l'histoire*, 4 tomes, Fayard, Paris, 1992-1993.

WELT Dorit (dir.), *Inscriptions juives dans l'espace*, Pardès, 13/1991.

Philosophie et mystique juives

ARENDT Hannah, *La Tradition cachée*, Christian Bourgois éd., Paris, 1987.

BUBER Martin, *Les Récits hassidiques*, Éd. du Rocher, Paris, 1963, 1978.

BUBER Martin, *Les Contes de rabbi Nachman*, Stock, Paris, 1981.

GUTWIRTH Jacques, *Vie juive traditionnelle. Ethnologie d'une communauté hassidique*, Éd. de Minuit, Paris, 1970.

JEHUDAH BEN CHEMOUEL LE HASSID, *Sefer Hassidim. Le guide des hassidim*, Cerf, Paris, 1988 (traduit de l'hébreu et présenté par le rabbin Edouard Gourévitch ; préf. de Josy Eisenberg).

LEVINAS Emmanuel, *Difficile Liberté. Essais sur le judaïsme*, Albin Michel, Paris, 1963.

MENDELSSOHN Moses, *Jerusalem or on Religious Power and Judaism*, Brandeis University Press of New England, 1983 (introd. et commentaires par Alexander Altmann).

MOSES Stephane, *Système et Révélation. La philosophie de Franz Rosenzweig*, Seuil, coll. « Esprit », Paris, 1982.

ROSENZWEIG Franz, *L'Étoile de la Rédemption*, Seuil, coll. « Esprit », Paris, 1982.

SCHOLEM Gershom, *Les Origines de la Kabbale*, Aubier Montaigne, Paris, 1966.

SCHOLEM Gershom, *Le Messianisme juif. Essais sur la spiritualité du judaïsme*, Calmann-Lévy, Paris, 1974.

SCHOLEM Gershom, *Les Grands Courants de la mystique juive*, Payot, Paris, 1977.

SCHOLEM Gershom, *Sabbataï Tsevi, le messie mystique*, Verdier, Lagrasse, 1983.

SIRAT Colette, *La Philosophie juive au Moyen Age*, Éd. du CNRS, Paris, 1983.

STRAUSS Léo, *Maïmonide*, PUF, Paris, 1988.

TOUATI Charles, *Prophètes, talmudistes, philosophes*, Cerf, Paris, 1990.

Le Zohar, tome 1 (trad., annot. et av.-prop. par Charles Mopsik), suivi du *Midrach Ha Néélam* (trad. et annot. par Bernard Maruani), éd. Verdier (coll. « Les Dix Paroles »), Paris, 1981.

Période moderne : Révolution et émancipation

BADINTER Robert, *Libre et égaux... L'émancipation des Juifs 1789-1791*, Fayard, Paris, 1989.

DOHM C. W., *De la réforme politique des juifs*, Stock, Paris, 1984.

DOUBNOV Simon, *Histoire moderne du peuple juif*, Les Amis de Simon Doubnov/Cerf, Paris, 1994 (traduit du russe par Samuel Jankélévitch, préface de Pierre Vidal-Naquet).

GRÉGOIRE Henri (abbé), *Essai sur la régénération physique, morale et politique des juifs*, Champs/Flammarion, Paris, 1988.

KATZ Jacob, *Hors du ghetto. L'émancipation des juifs en Europe (1770-1880)*, Hachette, Paris, 1984.

SCHWARZFUCHS Simon, *Du juif à l'israélite. Histoire d'une mutation 1770-1870*, Fayard, Paris, 1989.

Judaïsme espagnol et méditerranéen

BAER Y., *A History of the Jews in Christian Spain*, 2 vol., Philadelphie, 1961-1966.

MECHOULAM Henry, *Être juif à Amsterdam au temps de Spinoza*, Albin Michel, Paris, 1991.

MECHOULAM Henry (éd.), *Les Juifs d'Espagne. Histoire d'une diaspora, 1492-1992*, Paris, 1992.

RODRIGUE Aron, *De l'instruction à l'émancipation. Les enseignants de l'Alliance israélite universelle et les Juifs d'Orient. 1860-1939*, Calmann-Lévy, Paris, 1989.

ROTH Cecil, *Histoire des Marranes*, Liana Levi, Paris, 1990.
VAJDA Georges, *Sages et Penseurs sépharades de Bagdad à Cordoue*, Cerf, Paris, 1989.
YERUSHALMI Yosef Hayim, *De la cour d'Espagne au ghetto italien*, Fayard, Paris, 1987.
ZAFRANI Haim, *Mille Ans de vie juive au Maroc. Histoire et culture, religion et magie*, Paris, 1983.

Europe centrale et orientale

BAUMGARTEN Jean, *Le Yiddish*, PUF, « Que sais-je », Paris, 1990.
BAUMGARTEN Jean, *Introduction à la littérature yiddish ancienne*, Cerf, Paris, 1993.
BAUMGARTEN Jean (dir.), *Territoires du yiddish : de la création vivante à la désolation*, Pardès, 15/1992.
ERTEL Rachel, *Le Shtetl. La bourgade juive de Pologne*, Payot, Paris, 1982.
GOLDBERG Sylvie-Anne, *Les Deux Rives du Yabbok. La maladie et la mort dans le judaïsme ashkénaze*, Cerf, Paris, 1989.
GREEN Nancy, *Les Travailleurs immigrés juifs à la Belle Époque. Le « Pletzl » de Paris*, Fayard, Paris, 1984.
KOCHAN Lionel (sous la dir. de), *Les Juifs en Union soviétique depuis 1917*, Calmann-Lévy, Paris, 1971.
KORCEC Pawel, *Juifs en Pologne*, Presses de la Fondation nationale des sciences politiques, Paris, 1980.
MENDELSOHN Ezra, *Class Struggle in the Pale : The Formative Years of the Jewish Workers' Movement in Tsarist Russia*, Cambridge, 1970.
TOLLET Daniel, *Histoire des juifs en Pologne du XVIe siècle à nos jours*, PUF, Paris, 1992.
WEINRYB B. D., *The Jews of Poland. A Social and Economic History of the Jewish Community in Poland from 1100-1800*, New York, 1972.
WEINSTOCK Nathan, *Le Pain de misère. Histoire du mouvement ouvrier juif en Europe*, La Découverte, Paris, 1984, 2 vol.
WIRTH L., *Le Ghetto*, Grenoble, 1980.

États-Unis

COHEN Steven M., *American Assimilation or Jewish Revival ?*, Bloomington, 1988.
EISEN Arnold, *Chosen People in America. A Study in Jewish Religious Ideology*, Bloomington, 1983.
GLAZER Nathan, *American Judaism*, Chicago, 1989.
GOLDSCHEIDER Calvin, *Jewish Continuity and Change. Emerging Patterns in America*, Bloomington, 1986.
LIPSET Seymour Martin et RAAB Earl, *Jews and the New American Scene*, Cambridge, 1995.

Sionisme et Israël

BARNAVI Élie, *Une histoire moderne d'Israël*, Flammarion, Paris, 1982.
DIECKHOFF Alain, *L'Invention d'une nation. Israël et la modernité politique*, Gallimard, « NRF Essais », Paris, 1993.
GEILSAMMER Ilan, *Israël. Les hommes en noir*, Presses de la Fondation nationale des sciences politiques, Paris, 1991.
GREILSAMMER Ilan (sous la dir. de), *Repenser Israël. Morale et politique dans l'État juif*, Éd. Autrement, Paris, septembre 1993.
KLEIN Claude, *Le Caractère juif de l'État d'Israël*, Cujas, Paris, 1977.
HERZL Theodore, *L'État des juifs* (suivi de *Essai sur le sionisme*, de Claude Klein), La Découverte, Paris, 1990.
LEIBOVITZ Yeshayahou, *Judaïsme, peuple juif et État d'Israël*, J.-C. Lattès, Paris, 1985 (trad. de l'hébreu par Gabriel Roth).

France

ABITBOL Michel, *Les Deux Terres promises. Les juifs de France et le sionisme*, Olivier Orban, Paris, 1989.
BENSIMON Doris et DELLA PERGOLA Sergio, *La Population juive de France : socio-démographie et identité*. The Hebrew University of Jerusalem — Centre national de la recherche scientifique, Jérusalem, 1984.

BIRNBAUM Pierre (sous la dir. de), *Histoire politique des juifs en France*, Presses de la Fondation nationale des sciences politiques, Paris, 1990.

BLUMENKRANZ Bernhard (sous la dir. de), *Histoire des juifs en France*, Privat, Paris, Toulouse, 1972.

BREDIN Jean-Denis, *L'Affaire*, Julliard, Paris, 1983 (1993).

COHEN Erik, *L'Étude et l'éducation juive en France ou l'avenir d'une communauté*, Cerf, Paris, 1991.

DUCLERT Vincent, *L'Affaire Dreyfus*, La Découverte, coll. « Repères », Paris, 1994.

GRAETZ Michaël, *Les Juifs en France au XIXe siècle. De la Révolution française à l'Alliance israélite universelle*, Seuil, Paris, 1989.

KASPI André, KRIEGEL Annie et WIEVIORKA Annette (dir.), *Les Juifs de France dans la Seconde Guerre mondiale*, Pardès, 16/1992.

MARRUS Michaël, *Les Juifs de France à l'époque de l'affaire Dreyfus*, Calmann-Lévy, Paris, 1972.

PAXTON Robert O., *La France de Vichy. 1940-1944*, Seuil, Paris, 1977.

PHILIPPE Béatrice, *Être juif dans la société française (du Moyen Age à nos jours)*, Montalba, Paris, 1979.

PODSELVER Laurence et WIEVIORKA Annette (dir.), *Histoire contemporaine et sociologie des juifs de France*, Pardès, 14/1991.

POZNANSKI Renée, *Être juif en France pendant la Seconde Guerre mondiale*, Hachette, « La vie quotidienne », Paris, 1994.

RABI, *Anatomie du judaïsme français*, Éd. de Minuit, Paris, 1962.

ROLAND Charlotte, *Du ghetto à l'Occident. Deux générations yiddiches en France*, Éd. de Minuit, Paris, 1962.

SCHNAPPER Dominique, *Juifs et Israélites*, Gallimard, Paris, 1980.

TAPIA Claude, *Les Juifs sépharades en France (1965-1985). Études psychologiques et historiques*, L'Harmattan, Paris, 1986.

WEINBERG David, *Les Juifs de Paris de 1933 à 1939*, Calmann-Lévy, Paris, 1974.

Intellectuels juifs

ASSOUN Paul-Laurent, *L'École de Francfort*, PUF, « Que sais-je ? », Paris, 1987.

BAUMGARTEN Jean et TRIGANO Shmuel (dir.), *La Religion comme science... La Wissenschaft des Judentums*, Pardès, 19-20/1994.

HAYOUN Maurice-Ruben, *La Science du judaïsme*, PUF, « Que sais-je ? », Paris, 1995.

LÖWY Michaël, *Rédemption et utopie. Le judaïsme libertaire en Europe centrale*, PUF, Paris, 1988.

SCHOLEM Gershom, *Walter Benjamin, Histoire d'une amitié*, Calmann-Lévy, Paris, 1981.

SIMON–NAHUM Perrine, *La Cité investie. La « science du judaïsme » français et la République*, Cerf, Paris, 1991.

Antijudaïsme et antisémitisme

DRUMONT Édouard, *La France juive. Essai d'histoire contemporaine*, 2 tomes, Ernest Flammarion éditeur, Paris, s.d. (145e édition).

FAYE Jean-Pierre, *Migrations du récit sur le peuple juif*, Belfond, Paris, 1974.

ISAAC Jules, *L'Enseignement du mépris*, Fasquelle, Paris, 1962.

LAZARE Bernard, *L'Antisémitisme. Son histoire et ses causes*, Les éditions 1900, Paris, 1990 (préf. de Jean-Denis Bredin).

POLIAKOV Léon, *Histoire de l'antisémitisme*, 4 vol., Calmann-Lévy, Paris, 1956-1977.

POLIAKOV Léon, *De l'antisionisme à l'antisémitisme*, Calmann-Lévy, Paris, 1969.

SIMON Marcel, *Verus Israel. Étude sur les relations entre chrétiens et juifs dans l'Empire romain (135-425)*, Éd. de Boccard, Paris, 1983.

Le génocide

Colloque de l'École des hautes études en sciences sociales, *L'Allemagne nazie et le génocide juif*, Hautes Études-Gallimard, Le Seuil, Paris, 1985.

HILBERG Raul, *La Destruction des Juifs d'Europe*, Paris, 1989.
JANKELEVITCH Vladimir, *L'Imprescriptible. Pardonner ? Dans l'honneur et la dignité*, Seuil, Paris, 1986.
KALFA Ariane, *La Force du refus. Philosopher après Auschwitz*, L'Harmattan, Paris, 1995.
MARRUS Michaël R. et PAXTON Robert O., *Vichy et les Juifs*, Calmann-Lévy, Paris, 1981.
MAYER Arno, *La « solution finale » dans l'histoire*, La Découverte, « Textes à l'appui », Paris, 1990 (préf. de Pierre Vidal-Naquet).
POLIAKOV Léon, *Le Bréviaire de la haine. Le IIIe Reich et les Juifs*, Calmann-Lévy, Paris, 1951, 1979 (Éd. Complexe, 1986).
TRIGANO Shmuel (dir.), *Penser Auschwitz. Pardès*, 9-10, 1989.
WIEVIORKA Annette, *Déportation et génocide. Entre la mémoire et l'oubli*, Plon, Paris, 1992.

Identité et mémoire juive

ARENDT Hannah, *Rahel Varnhagen. La vie d'une juive allemande à l'époque du romantisme*, Tierce, 1986.
ARON Raymond, *Essais sur la condition juive contemporaine*, textes réunis et annotés par Perrine Simon-Nahum, Éd. de Fallois, Paris, 1989.
ASHHEIM Steven E., *Brothers and Strangers. The East European Jew in German and German Jewish Consciousness*, 1800-1923, Madison, 1982.
BERLIN Isaïah, *Trois Essais sur la condition juive*, Calmann-Lévy, Paris, 1973.
DANZGER M. Herbert, *Returning to Tradition. The Contemporary Revival of Orthodox Judaism*, New Haven, 1989.
FINKIELKRAUT Alain, *Le Juif imaginaire*, Seuil, « Essais », Paris, 1980.
LAPIERRE Nicole, *Le Silence de la mémoire. A la recherche des Juifs de Plock*, Plon, Paris, 1989.
LE RIDER Jacques, *Modernité viennoise et crises de l'identité*, PUF, Paris, 1990.
MARIENSTRAS Richard, *Être un peuple en diaspora*, Maspero, Paris, 1975 (préf. de Pierre Vidal-Naquet).
MEDAM Alain, *Mondes juifs. L'envers et l'endroit*, PUF, Paris, 1991.
SARTRE Jean-Paul, *Réflexions sur la question juive*, Paris.
SCHOLEM Gershom, *Fidélité et utopie. Essais sur le judaïsme contemporain*, Calmann-Lévy, Paris, 1978.
VIDAL-NAQUET Pierre, *Les Assassins de la mémoire. « Un Eichmann de papier » et autres essais sur le révisionnisme*, La Découverte, Paris, 1987.
VIDAL-NAQUET Pierre, *Les Juifs, la mémoire et le présent*, Petite Collection Maspero, Paris, 1981.
VIDAL-NAQUET Pierre, *Les Juifs, la mémoire et le présent II*, La Découverte, « Essais », Paris, 1991.
VIDAL-NAQUET Pierre, *Réflexions sur le génocide. Les juifs, la mémoire et le présent III*, La Découverte, Paris, 1995.
YERUSHALMI Yosef Hayim, *Zakhor. Histoire juive et mémoire juive*, La Découverte, Paris, 1984.

Table des encadrés

Table

La collection « Repères »
est animée par Jean-Paul Piriou
avec Bernard Colasse, Françoise Dreyfus,
Hervé Hamon, Dominique Merllié
et Christophe Prochasson

Le système monétaire international, nº 97, Michel Lelart.

Tableau de bord de la planète, nº 135, Worldwatch Institute.

Les taux de change, nº 103, Dominique Plihon.

La télévision, nº 49, Alain Le Diberder, Nathalie Coste-Cerdan.

La théorie de la décision, nº 120, Robert Kast.

Les théories des crises économiques, nº 56, Bernard Rosier.

Les théories du salaire, nº 138, Bénédicte Reynaud.

Les théories économiques du développement, nº 108, Elsa Assidon.

Le tiers monde, nº 53, Henri Rouillé d'Orfeuil.

Travail et travailleurs aux États-Unis, nº 16, Marianne Debouzy.

Travail et travailleurs en Grande-Bretagne, nº 32, François Eyraud.

Les travailleurs sociaux, nº 23, Jacques Ion et Jean-Paul Tricart.

L'Union européenne, nº 170, Jacques Léonard et Christian Hen.

L'urbanisme, nº 96, Jean-François Tribillon.

Collection « Guides Repères »

L'art du stage en entreprise, Michel Villette.

Voir, comprendre, analyser les images, Laurent Gervereau.

L'art de la thèse, *Comment préparer et rédiger une thèse de doctorat, un mémoire de DEA ou de maîtrise ou tout autre travail universitaire*, Michel Beaud.

Collection « Dictionnaires Repères »

Dictionnaire de gestion, Élie Cohen.
Dictionnaire d'analyse économique, *microéconomie, macroéconomie, théorie des jeux, etc.*, Bernard Guerrien.

Composition Facompo, Lisieux (Calvados)
Achevé d'imprimer en France en octobre 1996
sur les presses de l'imprimerie Carlo Descamps,
Condé-sur-l'Escaut (Nord)
Dépôt légal : octobre 1996
ISBN 2-7071-2617-9